JN132355

高橋千恵

小説

赤い花

上

龍鳳書房

扉絵・青木悦子

小説　赤い花

上巻

小説 赤い花　上巻　もくじ

第一章　衣擦れの音を残して

日本は太平洋戦争に負けた。

国土は焦土と化し、飢餓にあえぐ人びとが食糧を求めて、カーキ色のリュックサックを背に右往左往していた。そして日本全体が灰色に廃れた風景の中にあった。

そんな敗戦の翌年、昭和二十一年八月十七日、中園凛子は母親の中園吟の実家、長野県更級郡川中島村今井北原で生を受けた。

信州・川中島村北原は、鮮やかな緑の田園が一面に広がる盆地で、遠くには周囲を囲むように幾重にも山やまの稜線が連なる。

この辺りは比較的戦争の傷痕が少なかった。とはいえ、例外なく食糧難に見舞われていたが、こうした信州の原風景がすさんだ人びとの心を和ませていた。

田園を南北に突っ切るように走るコンクリート舗装された一本の道。その国道十八号線沿いでバス停留所を兼ねていたのが吟の実家で、玄関わきの小さなガラス窓から切符を販売していた。

小さな木造二階建ての一軒家。家の裏側には田んぼに水を回す堰が通っていて、初夏の夕方には蛍が飛び交っていた。

凛子は「北原の家」と呼ばれていたここで、何歳まで育てられたのか覚えていないが、吟は凛子連れで何かにつけて実家の世話になっていた。

北原の家の朝は早く、凛子は毎朝五時には起こされた。ラジオから流れる「歌のない歌謡曲」という当時人気だった番組を聞きながら、皆そろって朝食を取るのが常だった。だが、まだ寝足りない凛子は食べながら「こっくり、こっくり」しながらの朝食なので、毎朝決まって「早く」とか「急いで」とか言うことなのか、「凛子『駆(か)って』食べなさい」と北原の祖母に怒られた。

北原の家の一日は、こうした朝の食卓から始まるのだ。

凛子が一歳になるかならないかの昭和二十二年、吟は長野市の中心街ともいえる西町に引っ越した。小ぶりな一軒家の二階を間借りして、吟の姉のたつ江の嫁ぎ先、稲荷山で精肉店を営む山岡義男から肉を仕入れ、幼子の凛子を背負って日々歩きとおし、行商で生計を立てていた。

しばらくして吟は、一階に住む大家と話をして玄関先にカウンターを設け、そこで肉を売るようになった。すると、肉を買いに来る男性客の何気ない「上がり框(がまち)で肉を煮てくれないか」の一言で、吟は早速、鍋を上がり框に据えて「すき焼き」をつくった。

これをきっかけに店は、肉の販売から小さいながらも料理屋へと、その趣を変えていった。

吟は、この店を「陣屋」と称した。

お酒は一滴も飲めない吟だったが、生来、商才が備わっていたのか、店は大変に繁盛した。常に忙しく立ち働く吟の陰で凛子は、ほぼ毎晩、忙しい母親に代わり酔客の膝から膝へと渡され、子守をされて過ごすようになった。大座敷、小座敷で歌われていた当時の流行歌や民謡の「炭坑節」などが子守歌代わりだった。

年の暮れ―観音様が祀られ地元では「信仰の山」とも言われている旭山に日が沈むのを見計らったように、遠くから「初音」の音が徐々に近づいてくる。そうすると「明日は正月だよ」と知らされている気がして、人びとの心は躍った。

陣屋の年越しは、吟の夫の唐澤雄二や住み込みの従業員たちと、馬肉のすき焼き鍋を囲み乾杯して新年を迎えるのが恒例だった。その際に下戸の吟は、猪口(ちょこ)一杯の酒にほんの少し口をつけただけで「はあ、はあ」と息を荒げ、顔を真っ赤にして「心臓が躍る」と言っては、炬燵にトドのように横たわってしまうのが、年越しのお決まりだった。

正月は、当時としては贅沢な数の子と粕漬のブリ焼きなどのご馳走が食卓を飾った。

吟は小さな凛子を時折、イダ美容院へ連れて行った。金属の傘のような物からぶら下がった金具に、髪の毛をくるくる巻きつけて電気パーマをかけた。そして長い髪にウエーブをつけた凛子を、かわいらしい洋服で着飾らした。

凛子が三歳の七五三のとき、近所のイダ美容院で髪をアップにし、真っ赤な絹地にいくつもの手毬が染め抜かれた愛らしい着物姿で撮った写真を、凛子は今でも大事にしている。

それから四年後、凛子は三人きょうだいの長女になっていた。昭和二十六年二月に妹の由美子、同二十八年九月には弟の雄一が生まれた。

父親の雄二と吟の間に波風が立ち始めたのは、弟が生まれたころからだった。

店がはねると、毎晩のように激しい取っ組み合いの夫婦喧嘩が始まる。原因は、吟の接客態度に嫉妬した雄二が癇癪（かんしゃく）を爆発させるのだ。あまりの剣幕に、寝ていた子どもたちは目を覚まし、部屋の隅っこに縮こまって泣きじゃくるのが常だった。

雄二は、何かにつけてすぐ手が出る気の短い性分だった。しかし、吟もまた、夫の暴力に勝るとも劣らないものすごい形相で歯向かっていく。そして最後は、吟の迫力が圧倒する。

大方の場合、雄二に馬乗りになった吟は、「包丁を持ってこい」と凛子に向かって大声で叫ぶ。

何度も何度も繰り返し〝命令〟されるが、ただただ恐れおののく凛子は立ち尽くすばかりで動くことさえできない。すると—

「お前は何で母さんの言うことが聞けないの！」

怒りの矛先は突如、凛子に向きを変え、振り上げた吟の平手は凛子の頬に振り下ろされる。こうして凛子が吟に叩（たた）かれ出すと、大抵の場合、これをもって夫婦喧嘩は終息するのだった。

結局、終わってみれば、常に凛子がとばっちりを食っていた。

凛子、九歳。小学三年生のとき、ついに両親の間に離婚話が持ち上がった。雄二の激しい嫉妬心に、さすがの吟も我慢の糸が切れた。

凛子といえば、父親は嫌いではなかったが、ただ怖かった。

その雄二の短慮は度を越していた。怒り心頭に発するとさっと目の色が変わり、見る見るうちに顔から血の気が引き青白くなる。同時に歯ぎしりをするように口元は歪み、ほんの一瞬でそれは恐ろしい形相になるのだ。

背が高く痩せていかにも神経質といった雄二に、凛子は「いじめられた」という思いしか浮かんでこない。しょっちゅう殴られていた。それも中指の中節部分を〝突出〟させて握ったゲンコツで、頭をカッキーンと。

子ども心に納得できない凛子は、雄二の機嫌のいいときを見計らって聞いたことがあった。

「お父さんは、由美子や雄一を殴るときはいつも平手なのに、どうして私のときはゲンコツなの？」

いつものように例のゲンコツが飛んできた。それが雄二の答えだった。

雄二にとっての凛子は、結婚した吟の連れ子であり養女として入籍した子で、妹の由美子と弟の雄一こそが実の子どもだった。

今にして思えば、嫉妬深い雄二のこと、吟の先夫との子どもである凛子も憎かったに違いない。だが凛子には、養父の〝虐待〟から一度として、実の母親の吟に庇（かば）ってもらった覚えはなかった。

それでも、凛子を心にかけていてくれた親戚がいた。

常日ごろから、凛子に対する雄二の非情な態度を見知っていた稲荷山の義男伯父とたつ江伯母だった。離婚話に逆上した雄二が凛子に何をするか分からないと心配して、離婚が成立するまで凛子を預かると言ってくれた。

そして凛子は、小学校三年の三学期から「稲荷山の家」に避難し、稲荷山小学校に転校した。

ほぼ三か月後、四年生になったときに両親の離婚が正式に決まった。

子どもは三人とも母親のもとで暮らすことになり、再び市街地の後町小学校に戻った。

稲荷山で「山岡肉店」を営む義男伯父とたつ江伯母の「稲荷山の家」は、かつての北国西街道、いわゆる善光寺街道最大の宿場町だった稲荷山宿の中心部にあった。大きな店構えの家で、中庭を挟んで奥に二階建ての住宅があり、店と住宅は二階でつながっていた。母方の親戚では最も裕福だった。

凛子は三、四歳の幼稚園児のころから、土曜日になると一人で稲荷山の家によく泊まりに行った。

「車掌さんが『鶴忠さん前』と言ったら降りるのよ」

停留所まで送ってくれるお手伝いさんに何度も言い聞かされ、バスに乗って約一時間。その「鶴忠」という蕎麦屋の隣が稲荷山の家だった。

凛子はいつも歓迎された。伯父、伯母夫婦はもちろんのこと、娘でフランス人形のように綺麗な中学生の光恵と小学生の恵美。そして、夫が戦死して身を寄せている伯母の妹の鈴江に、住み込みで働く若い衆がこぞって「凛子、来たか、来たか」と言って、喜んで迎えてくれた。

中でも、伯父の義男は凛子を我が子以上にかわいがった。

「私の旦那は『グレゴリー・ペック』みたいないい男だよ」と、伯母のたつ江がいつも言うように戦地から生還した伯父は、背が高く堂々とした体躯(たいく)の上、目鼻立ちがはっきりしていて西洋人のようだった。

無口で鷹揚(おうよう)に構えて一見、取っ付きにくかったが、大勢の男衆から慕われていて、伯父のもとには入れ代わり立ち代わり誰彼となく訪ねてきた。

また、無類の薬好きという変に親しみやすい一面も持ち合わせていた。稲荷山の前田薬局のひょろりとした兄さんなどは、毎日のように薬を届けに来るのだが、伯父はその都度目を細めて喜び、さらに幾つもの薬を買い置きした。

一方、とても信心深い伯母のたつ江は、毎日、朝に夕にそれぞれたっぷり一時間かけて仏壇に向かう人だった。自分が知る限りの人たちの名前を挙げて、心配事を口にしては「きょうも無事に済みますように」と手を合わせるのだ。

こんな心優しいたつ江伯母と気性が激し過ぎる母の吟が、同じ姉妹とは到底思えなかった。

従姉(いとこ)の光恵姉は、幼いころから日本舞踊を習っていた。小学生のときに舞台発表した「藤娘」では、まるでガラスケースに納められた「日本人形」のようだった。前髪から藤の花かんざしを額に垂らし、長い振袖の袂(たもと)を右手に回し掛け、そして視線を斜め上に向けるその凛とした瞳の愛らしさ。

見る人をくぎ付けにする着物姿の光恵姉が、ひとたびワンピース姿になったなら、たちまち「リカちゃん人形」に〝変身〟する。キュッと締まったウエスト、ギャザーをたくさん入れたスカートを大きく広げ、伯父譲りのつぶらな大きな瞳が印象的な小さき顔に黒髪がなびく。

山岡家の財により贅沢品で身繕いされた光恵姉の美しさは、この辺りの田舎では飛び抜けていた。

美人姉妹の次女、恵美姉は伯母似の切れ長の一重瞼。とても優しい心の持ち主で、いつも凛子の話し相手になってくれる。その恵美姉が、あるとき凛子に「このクレヨンが欲しいんだけど……」と言って、ある頼みごとを持ってきた。

「お父さんに凛子ちゃんから頼んで買ってもらってくれない」

「ね、お願い」という仕草で恵美姉は顔の前で手を合わせるのだ。

このように稲荷山の美人姉妹は、欲しいものがあるといつも凛子を通して父親におねだりをする。それほど、伯父は凛子の言うことなら何でも聞いた。

泊まりの夜は、子供部屋に戻る娘たちに代わって凛子だけが大好きな伯父と伯母の寝室で寝た。

稲荷山で泊まって明けた翌日曜日、凛子の過ごし方はまさに〝悠々自適〟だった。お勝手場を仕切るもう一人の伯母の鈴江が握ってくれる、海苔で包んだ鮭入りの大きなおむすび二つを新聞紙でくるみ、稲荷山映画館まで送ってもらう。

お昼におむすびを食べながら三本立ての映画を観終わると、今度は恵美姉が迎えに来てくれる段取りだ。

それから二人は稲荷山温泉に向かう。一人三〇円の「ロマンス風呂」と、一〇円の「ローマ風呂」がある。凛子たちは決まって高い「ロマンス風呂」に入る。なぜかと言えば、風呂上がりのサービスに「お茶」と「最中」が付くからだ。

そして夕方。凛子が稲荷山の家から帰るときに伯父は、決まって手提げ金庫から一〇〇円札を出してくれた。「凛子、小遣い貰ったか?」と、確認するように聞く伯母たちに見送られて長野に行くバスに乗るのだった。

こうして毎週、伯父からもらう小遣いで、凛子は小さいころから「お金持ち」だった。近所のつぼや菓子店で大好きなチョコレートを買って、妹や弟と一緒に食べるのに何の不自由もなかった。

小学校の高学年になるに従い凛子は、大好きな読書と裁縫に没頭するようになった。学校の図書室に入り浸り、それでも飽き足らず伝記や推理小説を借りてきては読みふけった。

裁縫はもっぱら人形の洋服づくりに凝った。あるときは、掛け布団を被り寝たふりをして深夜まで作業していて、間違ってハサミでシーツまで切ってしまい母にひどく叱られた。五年生になると、クラスの女友だちと三人で「裏千家」のお茶を習い始めた。

料理屋の「陣屋」はますます繁盛していた。それは、口八丁手八丁で負けず嫌い、そんな男勝りの母、吟の気性に負うところが大きかった。

翻せば、吟にはまったく家庭的な要素が備わっていないということだが、それを物語るように、食事をはじめ凛子たち三人きょうだいの面倒は、板前や仲居に任されていた。そうでなくても、吟は開店と同時に店にかかりきりになるため、いきおい子どもたちだけで過ごすことが多かった。

そんな中で、吟は母親の顔を垣間見せることもある。朝、学校へ行く前に髪の手入れだけはしてくれたのだ。

しかし母に逆らって髪を長く伸ばし、三つ編みのお下げやポニーテールにしている凛子は、いつもブラシで頭を叩かれた。気忙しい母にとって、ブラシに絡まる長い髪は気に入らなかったのだ。

それにしても、先が丸まっているとはいうものの針金が、木枠のゴム台にたくさん刺さっているブラシの痛さは半端ではなかった。

店が始まると、茶の間が凛子たちきょうだいの居場所になる。その子どもたちのテリトリーにいつごろか、見知らぬ〝侵入者〟が現れて居着いてしまった。警戒心のない凛子たちは、いつしか「おじちゃん、おじちゃん」と呼んで懐いた。

その男の人は、後に継父となる雑賀正だった。

だが、吟との付き合いはすんなりとはいかず、相応の紆余曲折(うよきょくせつ)を経る。

またそれは凛子にとっても、もやもやといつ晴れるか知れない靄(もや)の中で、傷ついた小さな心を抱え込むことになるのだ。


小学五年生になった凛子は、週末になると相変わらず稲荷山の家にいたが、騒動のあった日は、いつもと様子が違っていた。

主だった親戚が集まり、そこに吟も遅れて来た。

やおら話し合いが始まったが、誰にも咎(とが)められることもなかった凛子は、訳も分からないままにその場にいた。

話の内容からどうも、一回り以上も年下の雑賀と同棲していることで吟が一人、皆から責められているらしいことが分かった。

「そんな若い男にうつつを抜かしているなんて、どうかしている」

「小さい子どもが三人いて、その子たちの為にもならない」

口ぐちに反対する親戚に端から貸す耳を持たない吟は、その都度ガンとはねつけた。

「雑賀とは絶対に別れない！」

攻め手を失いつつあった親戚が、突然凛子を引き合いに出して責めた。

「凛子だって、雑賀と一緒の生活は嫌だと言ってるぞ！」

いきなり自分の名前が飛び出したことにもびっくりしたが、言ってもいないことを言われた凛子は、後で母から怒られるのではないかと恐怖を覚えた。加えて「母を負かす」ために、大人たちが子どもの私を利用していることにも傷ついた。

だがこのあと、激昂した吟から発せられた言葉が、矢のように凛子の胸をグサッと貫いた。

「私は子どもなんて、いらない！　みんながそんなに言うんだったら、子どもを捨てて、雑賀と駆け落ちしてやる！」

売り言葉に買い言葉の末──子どものことを持ち出され、途端に逆上した吟は大声を張り上げ、怒鳴るように言い放ったのだ。

そのあまりの剣幕に驚いた凛子だが、それ以上の衝撃を伴った母の言葉を声に出さずに反すうした。

「子どもはいらない……!?」

「子どもを捨てる……!?」

—そして「駆け落ちって、ナニ?」。凛子の耳に居着いて、いつまでも離れなかった。考えてみれば、親戚中の忠告が吟に届くはずもなかった。

結果、この騒動で逆に雑賀の存在が〝公認〟された形になってしまった。それからというもの、雑賀は当たり前のように毎日家に泊まり、吟のもとから会社に出勤した。

「今日から『おじさん』を『お父さん』と呼びなさい」

ある日、子どもたちを集めて母の吟はこう告げた上、さらに続けて「この場で言ってみなさい」と、一番小さい弟の雄一から順に言わせようとした。

四歳の雄一、七歳の妹の由美子は抵抗なく「お父さん」と呼んで、最後に凛子の番になったところで滞った。

「おじさん」

えっ!? 自分でも驚いた。

喉元まで出ている「お父さん」が、なぜか言葉になると、呼び慣れている「おじさん」になってしまう。

しまった、と思った瞬間、凛子の頬に激痛が走った。母の平手が飛んだのだ。それでもどういう訳か、なかなか声に出せずに「お父さん」と呼べるまで、何度も叩かれた。

雑賀は吟の横で、叩かれる凛子に気弱そうな眼差しを向けるだけで、何も言わなかった。ただ、哀れむような感情を見せながらも一方では、「父親」としての威厳を示そうと虚勢を張るその表情を、凛子は忘れることができなかった。

このころになると「料理屋」という家業に対しても、きょうだいの間に異なる思いが生じてきていた。

物事に敏感で几帳面な妹は、「酔っぱらいは嫌だ」と言って料理屋を嫌っていた。一方で弟は、常に周りから「跡取りだ」と言われていたため、しょっちゅう台所に入っては料理を作る真似をしていた。

妹や弟に比べて凛子はどちらかと言えば常におっとりと構えて「気楽屋」の方だった。凛子は料理屋そのものより、鏡台の前でお店に出る支度をする母の吟の姿が好きだった。

夕方、母は鏡台に向かう。お化粧をする。着物を着る。そして、凛子が心ときめかす仕草が……。

帯締めを口にくわえて、ちょっと首を斜め後ろに向け、後ろ手で帯を締める際に見る鏡——。絵に描いたような何とも言えぬポーズが大好きだった。

最後は鏡に向かって小指を立てて唇に紅を引き、着物の裾をさばく小気味よい衣擦れの音を残して、凛子たちがたむろする居間を通り抜ける。

きりりと〝戦場〟へ向かう母の姿に、憧れた。

凛子は、母に思慕の情を抱いていた。

小学校の運動会。

「かけっこ」のときの凛子は、必ず走りながら大好きな母の姿を探す。見つけると、嬉しくなってニコニコと「おかあちゃ～ん」と叫んで手を振る。

こんなことだから、凛子の着順はいつも二位か三位。引き替え妹と弟は、常にトップでゴールテープを切っていた。

昔から足の速いのが自慢だった母からは、二人と比較され「凛子は手を振りながら走っているんだからねえ」と呆れられる。

でも、凛子に悔しさは少しもなかった。

それよりも母が運動会を見に来てくれて、周りの家族と同じように、母と妹と弟がそろって重箱を開けてお昼を食べる。

このことが何よりも増して嬉しかったのだ。

第二章　ゆらぐ母への思慕

昭和三十四年は、いわゆる「ミッチー・ブーム」を巻き起こした皇太子明仁親王と初の民間人正田美智子さんとの結婚に沸いた。ご成婚パレードが生中継されたこともあって「白黒テレビ」が爆発的に普及し、前年の三十三年にはテレビ塔で昭和のシンボル的な東京タワーも完成していた。

中学生になったばかりの凛子も、四月十日の皇居から東宮御所まで馬車によるご成婚パレードを、我が家のテレビで家族そろって見た。

凛子が入学した長野市立柳町中学校は、市内屈指のマンモス校だった。ずっと後に言われる「団塊世代」だったことから一学年で一一組、翌年度入学の学年は一七組もあった。このため学校は、足りなくなった教室を効率的に活用する苦肉の策として、教科ごとに教室を使い回す「移動教室」なるものを採用した。これによって一時限が終わるたびに、全校生徒が教室から教室へと移動しなければならず、廊下はとても混雑した。しかし、生徒たちは「民族大移動」などと称して、それなりに移動時間帯を楽しんでいた。

凛子は小学校の同級生で仲が良かった塚越澄子と同じクラスになった。また入学後に知り合った渡瀬江梨子が加わって、いつも一緒に行動した。

それぞれが縫い上げたお揃いのスカートをはいた。三人が力を合わせて制作した紙芝居を持って孤児の施設を定期的に慰問した。

こうして、何をするのもどこへ行くのも一緒で、それでなくても目立つ存在だった三人は、いつからともなく「柳町中の三人娘」と評判になっていた。

しかし凛子は、学校帰りに上級生の男子生徒に後をつけられることもあった。あるときなど、まったく見知らぬ所まで逃げ惑った揚げ句〝迷子〟に。日が暮れ始めて心細さが募り、初めて目にする大きなガスタンクを見上げながら泣き出したくなった。

クラブ活動はそろって水泳部に入り、夏休みともなれば毎日市民プールに通い、真っ黒に日焼けした「三人娘」は、周りからアイドル扱いされた。

江梨子の父親は保険会社の長野支社長で、遊びに行ったときに「今度、新しくできたラーメンだよ」と言って、インスタントラーメンを出してくれた。

前年の三十三年に日清食品が世界で初めて開発した「即席麺」で、四角い麺の固まりにお湯を掛けるだけで出来上がる。初めて食べた凛子は、何よりも珍しかったのと、これまで味わったことのないおいしさが印象に残った。

澄子の家は、長野市内で一番の繁華街「権堂」で食堂をやっていた。三人が一緒だと両親は「本当によく来たね」と言っては喜び、必ず自慢の「親子丼」を笑顔で作ってくれた。澄子はカウンター越しにお父さんと冗談を言い合い、お母さんが傍でニコニコしながら見守っている。そんな温かい家族が凛子にはうらやましかった。

中学二年生になった凛子は、体育の時間に「初潮」をみた。

一足早く経験していた澄子に話すと、「今晩、凛子の家はお赤飯でお祝いだね」と先輩口調で言った。

下校して真っすぐ家に帰った凛子は、相変わらず忙しく立ち働く母、吟の手間をみて報告した。

「私『初潮』になった」

澄子の言った「今晩は、お赤飯だね」の言葉を思い出しながら、一番大事なことを勇んで〝告白〟したつもりだった。

なのに、母は……仕事の手を止めるでもなく、事務的に素っ気なく、他人事のように、ただ一言。

「薬局に行って生理バンドを買いなさい」

凛子は、せめて母の「おめでとう」の笑顔が欲しかった。

料理屋「陣屋」――。

一間（約一・八メートル）ほどのガラス戸を開け玄関を入ると、ずらりとスリッパが並ぶ上がり框がある。そこを上がると右手に広いお勝手場、左手には応接間と従業員の部屋。

その廊下を行くと、建物の真ん中に凛子たち家族の二間続きの居間があり、さらに奥へと進む。小石を敷き詰めた石廊下の突き当りに風呂と客室が二間控える。

大広間と四室の小部屋がある二階へは、石廊下の手前と奥二方向からの階段を使う。居間と石廊下からは、小さな池と何本かの植木をあしらった小庭が、夜ともなれば屋根に縁取りされたように丸く見える星空の下に浮かび上がる。

屋根の上に突き出して造られた木製の物干し台が、子どもたちの遊び場だった。そこからは家並みの向こうに善光寺が見え、遠く汽車の汽笛が聞こえてくると、思わず長野駅の方向に目を向けた。

当時、陣屋には「女中」と呼ばれた住み込みの仲居さんが五人いたほか、板前をはじめ料理を盛り付ける人、部屋まで運ぶ人、洗い場のおばさんなど一〇人を超える従業員たちが、所狭しとばかりに働いていた。

凛子も学校から帰ると、カバンを居間に放り出して勝手場に直行、料理の盛り付けなどを毎日手伝った。

口八丁手八丁の母吟は、商才に長けていて裏手の家を買い取った。その上、ねじり鉢巻きで大工の手伝いまでして店を建て増した。かと、思えば「店に子どもがいる環境は良くない」と、近所の一軒家までも購入して子ども部屋を設けた。

りしていた。

一方、父親の雑賀正は、勤めていた会社を辞めて帳面を付けたり勝手場の手伝いをしたりしていた。

最初は雑賀をどうしても「お父さん」と言えなかった凜子も、このころになると普通に呼べるようになっていた。学校が休みの日などは、雑賀が運転する車に乗って得意先を回り、請求書を届け集金もするなどした。

朝は勝手場のおばさんが用意した朝食を食べ、中学校から帰って来るころにはすでに、店の玄関に客の姿が見え始めていた。そして、凜子たちが寝る時間の母は、お座敷で接待に忙しい最中だった。

こうして母との接点は、ほとんどない毎日だった。

凜子が母と顔を合わせて話ができるのは唯一、日曜日だけだった。もちろん店は、日曜日も営業することはあったが比較的暇なことから、母も体の空く時間がままあった。凜子はこの時間を利用して学校からの「お知らせ」などを伝えた。

そんなある日曜日、例によって捩じり鉢巻きで、そろばんの音をパチパチと忙しく立てて売上帳と格闘している母に、「明日までに学校に持って行かなくちゃ……」と、恐る恐る茶色い授業料の集金袋を差し出した。

それはもう母の条件反射だった。そろばんの縁で、凜子は頭をしたたかに叩かれた。

以前の継父、唐澤雄二のときに母から受けていた暴力より多少減ったとはいえ、お金に関して極度にシビアな母は、毎月、恐る恐る茶封筒を差し出す凛子にこうした仕打ちを繰り返した。

学校で茶色の集金袋を配られることが恐怖だった。

中学三年生で高校進学を考える時節を迎えていた凛子は、意中の高校を言い出せずに悩んでいた。

―紺のジャンパースカートにベージュのシャツ、ネクタイは紺色。茶色の本革靴とカバン。憧れていたその制服姿は、ミッション系の私立長野清倫女学院。入学金も授業料も公立とは比べるまでもなく、かなり高い。

志望校を言えば、お金にうるさい母のこと、即座に反対されてしまうに違いない。

ところが、ここが母の分からないところだ。

清水の舞台から飛び下りる覚悟で、恐る恐る「……『清倫女学院』に行きたいので……お願い……します」と言った凛子が拍子抜けするほど、いともたやすく二つ返事で認めてくれた。

その瞬間、入試という難関が控えているのも忘れ、すでに憧れの制服を着て通学している自分の姿を想像して、凛子の心は浮き立っていた。

中学生になったころから「国語」と「英語」は大好きだった。特に英語はテストの答え合わせに先生が凛子の答案用紙を使うほどで、高校選択でも得意の英語が活かせると思った。その一方で「数学」と「理科」が不得意で、受験に向けて「三人娘」は、こぞって理科の先生から特訓を受けたが、成績は思うように上がらなかった。

受験を控え、何かと不安定な精神状態をさらに乱すような出来事が、凛子の身に降りかかった。

それは休日の朝のことだった。居間でぼうっとテレビを見ていた凛子の耳を、いきなり母吟の金切り声が突き刺した。

「あんたは『凛子』に気があるんでしょ！」

隣の寝室からだった。吟が夫の雑賀に向けたその怒声、その言葉……瞬時に理解できなかった凛子は、耳をそばだてた。

雑賀は「馬鹿なことを言ってるんじゃないよ」とあえて声を押し殺すように、そして懸命になだめるのだが、半狂乱の吟は同じ言葉を機関銃のように吠え立てる。

「気があるんだろう！　凛子に」。「凛子」に、「凛子」に――。

異性への関心が芽生えてくる年頃だけど、深い男女関係まで理解していたわけではなかった凛子だが、吟が実の娘にやきもちを焼いていることを敏感に察知した。吟の怒声に滲む淫らな醜い女を見た気がした。「母親」から変身した「女」に、凛子はいたたまれず居間を飛び出した。

それからというもの凛子は、雑賀と一緒の手伝いは一切しなくなった。そんなある日、滅多に口を利かない雑賀は珍しく「居間に来なさい」と、凛子を呼び出した。

ざわつき感を胸に仕舞い込んで居間に入った凛子に、雑賀は改まった口調で「きちんと、そこに座りなさい」と言った。

近くで吟が鏡台に向かって化粧していた。無関心を装いながらこちらの様子を、鏡越しにちらちらとうかがっていた。

吟の視線を気にしながら雑賀は、父親っぽさを前面に押し出しながら、受験勉強のことで説教を始めた。

先日の痴話喧嘩を聞いてしまった凛子には、雑賀の魂胆は見え見えだった。単に吟の疑いを晴らすためやっていることだと高を括り、まともな返事もせずに聞き流していた。

ところが〝父親〟としての威厳を傷つけられたと感じたのか、雑賀は凛子のふて腐れた態度に激怒。普通の教科書よりも三倍も厚い理科の参考書を、両手で雑巾を絞るように丸めてから右手に持ち替えたかと思うと、凛子の顎の辺りを下から上へと手加減なく殴り上げたのだ。

衝動的だったのか、殴った後の雑賀はうろたえていた。吟の表情を盗み見るようにうかがい、これからどうしたらいいのか困惑した様子で目を泳がせていた。

本当の父親でもないのに私を殴った雑賀は絶対に許さない――と、凛子は反抗心をむき出しにした。

反抗期に火が付いた凛子は徹底して家の手伝いを拒否した。

学校から帰るとすぐに外出して映画を観たり、三人で繁華街の甘味処に入ったり、澄子や江梨子の家に行って過ごすようになった。

「店が忙しいのだから手伝いなさい」。母にいくら言われても、これを無視した。

すると母は、言うことをまったく聞かなくなった凛子のことを親戚や客に、こんな風に言いふらした。

「凛子は不良になってしまった。とても手を焼いている」

いつの間にか世間は、凛子に「不良」のレッテルを貼った。

いつものように澄子や江梨子と一緒の凛子は、長野市では東京で言う銀座に当たるような賑わいを見せる中心街を、たわいもない話にキャッキャしながら歩いていた。

長野県内で初めて「エスカレーター」を導入して話題になったデパートの前に差し掛かったとき、こちらに向かって来る男子ばかりの高校生グループと出会った。

その中に飛び抜けて背が高く目鼻立ちがくっきりした一人に、凛子の目は釘付けとなった。目ざとく凛子の気持ちを察した澄子は、グループの中にいた顔見知りの仲間を通して、凛子とその男子生徒が会えるよう約束を取り付けてくれた。

澄子の話では、凛子が一目惚れした高校生は倉田壮と言い、海産物会社の社長の息子だった。デートの日。凛子は小さな胸をときめかせながら、長野駅に近いレストランで倉田と向き合っていた。

会ったらこうしよう、ああしようと、あれこれ想像して備えてきたつもりだった。が、いくら待っても一向に口を開かない彼を前にしてどうしたらいいのか、中学生の凛子には何も考えつかなかった。

ほとんど会話らしい会話もなく、注文した大好きなチョコレートパフェは、手も付けられずにテーブルの上で無残な格好をして溶けた。

初デートから何日か過ぎて、思いがけず倉田から電話があった。

それは「映画俳優になるので、東京に行くことになった」という報告だった。人気雑誌『平凡』のコンテストに応募し「ミスター平凡」に輝いたとかで、長野を発つ日と汽車の時間を知らせてきたのだ。

倉田がどのようなつもりで電話をしてきたのか、今ひとつ理解できなかったが、凜子は言われた通りの日時に長野駅へ見送りに行った。

上りホームに出てみると、倉田の周りは黒山の人だかりになっていて、とても近付ける状況にはなかった。仕方なく凜子は、映画か漫画の一場面のようにホームの端から、頬を紅潮させた彼の笑顔を見送った。

ほろ苦い「青春の一ページ」は、こうして閉じられた。


凜子は、憧れの長野清倫女学院に合格した。

目指す志望校を一本に絞って猛勉強したことが功を奏した。江梨子も合格して同じクラスになった。澄子とは進学校は違ったが、中学時代から行っている孤児施設への慰問は、高校に入ってからも継続し「三人娘」は〝健在〟だった。

清倫女学院は、善光寺一帯の小高い丘に建つレンガ造りの洋風な校舎で、道路に面した白壁にはステンドグラスがはめ込まれ、いかにもミッション系の「お嬢様学校」といった風情を醸していた。

美しい庭に教会、毎朝の讃美歌から始まる学び舎の一日に凜子は満足し、初めての洋式トイレに目を白黒させて使い方を学んだ。

何もかも目新しく新鮮で、こうした素晴らしい環境に身を置ける幸せを感じていた一方で、厳格な校則に縛られた。

校舎内を走ったり、大声でしゃべったりしてはいけないことは当然として、友人を「ちゃん」付けで呼ぶのは禁止、「さん」と言う。校長先生には「さま」を付けて「校長様」、黒の聖服姿の先生方は「マドレ」と呼ばされた。

また、ちょっぴり滑稽なルールもあった。

床の拭き掃除の際は原則モップを使うが、ない場合は床に置いた雑巾を片足で踏んで前後左右に動かして拭く。これは、床に両手をつく普通の雑巾掛けをスカート姿で行うのは、お尻が上がる格好になってしまうから「見苦しい」というのが理由だった。

規制は校内にとどまらず校外にもおよび、誘拐対策として、登下校中に知らない人に道を尋ねられても答えてはいけない、とされた。さらに厳しかったのは、たとえ父親、兄弟であっても男性と一緒に街中を歩くことを禁じられていたこと。

これらの規律に反すると、叱られることはないものの静かに「マドレ」から諭される。御御堂（教会）で二時間、三時間とひたすらお祈りを捧げることになる。

高校生になって初めて迎えた夏休みに、こんなことがあった。

外出から帰ると、母が茶の間で小沢秀樹とお茶を飲みながら談笑していた。小沢は凛子と同じ柳町中学の卒業生で、今は慶應義塾の大学生だが、帰省中はバスケット部のＯＢとして中学で部員を指導していた。

映画俳優のように格好いい小沢の人気は今で言うアイドル並みで、部活の指導に来るたびに関係のない一般の女生徒たちは群がって体育館に押し掛けた。凛子も当然、中学生のときに小沢の存在は知っていたが、そのバスケット部の部員で彼の弟の方に興味があった。

その小沢が、なぜ、ここにいる？　凛子は訝った。

後で聞いたところでは、小沢が突然訪ねてきたそうで、一面識もなかった母に自己紹介した上で、凛子と交際したいので認めて欲しいと、言ったという。

いきなりの申し入れだったが、男らしく堂々ときちっとした挨拶に、母はいたく気に入った様子だった。

だが、どちらかと言えば小沢の弟に関心があった凛子は、高校の規則を盾に取り「学校が厳しくて、異性とのお付き合いなどはできません」と断った。

話は少し戻る――。

刺激的で充実した青春を謳歌しているように見える凛子だが、実は高校生活のスタートに当たり、とてつもない〝衝撃の事実〟を自分自身の手によって、偶然あぶり出してしまったのだ。

隠されていた出生の秘密を――。

「清倫」に合格し、入学準備のために市役所で取った「戸籍抄本」。初めて見るいかつい書類を物珍し気に眺めていた凛子の目は、父親の欄の箇所で動かなくなった。

えっ、「中園忍?」。「忍」って女の人じゃ……?

母の旧姓は「……中園?」。

私は……母の吟が離婚した「唐澤雄二」の子どもじゃないの?

でも、凛子の「出生届」は〝父〟の「中園忍」が届け出て、「受付」「入籍」と記載されている。

……と、いうことは、私の本当の父親は「中園忍」っていう人、か⁉。

さらなる、衝撃――。

「唐澤雄二」の名前の箇所には「養女」「凛子」と記され、妹「由美子」と弟「雄一」はちゃんと「子供」の欄に収まっていた。

「戸籍抄本」の何たるかも知らない凛子でも、自分が深い霧の中でおぼろげに、そして辛うじて存在していることに気が付いた。

じゃあ、本当の父親「忍」って誰なのか—知りたくなった凛子は数日後、きょうだい三人でいた茶の間に母が入って来たのをこれ幸いに、「お母ちゃん、これって何なの?」。戸籍抄本を炬燵の上に広げた。

それを一瞥（いちべつ）した母の顔色が見る見るうちに変わったと同時に、お茶の入った目の前の急須を鷲づかみにして「余計なことを聞くんじゃない!」と怒気の含んだ言葉と一緒に、いきなり凛子を目掛けて投げ付けた。

急須は凛子の右の頬骨を直撃した。

痛さと熱さで一瞬、火花が散ったように目がくらんだが、辺りに茶殻が飛び散る中で凛子は反射的に立ち上がり、これまで出したことのない大声で怒鳴り返した。

「何をするのよ!」

凛子自身が信じられなかった。これまで一度として、ここまで正面切って母に立ち向かうことなど、なかったからだ。

結局は、何も分からず仕舞いだった。

凛子は本当の父親である「忍」のことを、とにかく知りたかったのだが、母の口からは忍の「し」の字も出なかったし、何の手掛かりも与えてはくれなかった。

この日を境に、物置になっている屋根裏部屋に凛子の姿がしばしば見られるようになった。

写真を探していた。そこら中を這いずり回って父親、忍が実在する証拠を――。

あるとき「文金高島田」の母が写る結婚式の写真を見つけた。

果たして、その白黒写真からは、「新郎」が写っていただろうと思われる部分はことごとく引きちぎられ、またアルバムも所どころで写真が周到に剥ぎ取られていた。

跡形もなく……。

これこそが母の吟が最初の夫、忍に抱く憎悪の裏返しだった。ただそれは取りも直さず、凜子が本当の父親を知る術を永遠に失ったことを意味していた。

感傷に耐えるように凜子はしばらくの間、詩の創作にのめり込んだ。

夏休みが終わってからも相変わらず、家事には見向きもせずに出歩いてばかりいる凜子を、吟は例によって「稲荷山の家」に預けた。

凜子の顔を見るのも嫌だったのか。「働かざる者……」に習い、手伝わない娘に食べさすのが惜しかったのか。はたまた夫の雑賀との関係で、単に遠ざけたかっただけなのか。

このいずれかの理由であることは確かだと、凜子は見当をつけていた。

稲荷山での生活は快適だった。何より気忙しい母の顔色をうかがう毎日から解放されたことが大きかったが、穏やかな家族に包まれてギスギスしていた凜子の心は次第に癒されていった。

稲荷山の家は、砂漠にさまよう凛子のカラカラに乾いた心身を潤してくれる、まさに「オアシス」そのものだった。

高校一年の終業式を間近に控えた凛子には、以前から胸の内にあった東京への憧れが、春の息吹に促されるように大きく膨らんでいた。

集団就職で東京に出て、住み込みで働いている中学の同級生、小松美恵子にも会いたかった凛子は、ほぼ断交状態にある母の了解を得るため一計を案じた。寄宿中の稲荷山のたつ江伯母に、妹に当たる母の吟との仲介役を演じてもらうことを企てたのだ。

優しい伯母は引き受けてくれた。

「凛子が『春休みに東京へ行きたい』と言っているから、行かせてあげて」

案の定、母からの返事は「絶対に許さない！」。

凛子は「反対されても行くから」と言って再度、伯母に伝えてもらった。

「『反対しても行く』と言っているから、反対しないで行かせてほしい」

伯母はこうまで言って説得したが、母は頑として許さなかった。

凛子が企てた〝間接話法〟の仲介作戦は、あえなく撃退されてしまったわけだが、春休みの初日、「東京行」の汽車に一人乗る凛子の姿があった。

母にも稲荷山の伯母さんたちにも何も言わず、家出をするように黙って出てきたのだ。上野駅で降りた凛子は、永代橋近くの製紙工場に勤める小松美恵子を尋ね当て、彼女の住み込みの部屋に泊まった。美恵子が働いている昼間、凛子は東京散策を決め込んだ。

東京は輝いていた。街並み、行き交う人また人、見るもの聞くもの全てが眩しかった。都会の「動」に対して田舎の「静」—時間のスピードの違いを肌で感じながら、凛子は憧れの東京の空気を思う存分満喫した。

都会で過ごした春休みはあっと言う間に終わり、あしたから二年の新学期がスタートするというその日、凛子は予定通り長野に帰ることにした。お世話になった美恵子に丁寧に礼を言い、後ろ髪を引かれる思いで上野駅に向かった。

切符売り場に行くと、片手をズボンのポケットに突っ込んで、所在なさそうにうろうろしている少年が目に付いた。

「大林君じゃない⁉」。凛子は驚いた。

大林勝男は、凛子が通学途中いつもすれ違っていた。斜に構えているようで、何となく不良っぽく見えた大林とは話したこともなかった。なぜ名前を知っていたのかも不思議だ。

だが凛子は、顔を知っているだけだとしても遠く離れ、しかもこの広い東京で偶然会えたことに感動した。

大林もまた、凛子を見つけて話し掛けてきた。きっと同じ気持ちだったのかもしれないと思った。

「長野に帰りたくない」と大林は言った後、続けて「帰りの汽車賃もないからさ」とも付け加えた。

「もう、あしたから学校が始まるから、長野に帰りましょうよ」

なぜか姉さん口調になっていた。

凛子は、煮え切らずにぐずぐずしている大林に長野までの切符を買ってあげて、強引に一緒の汽車に乗った。嫌がる大林が逃げ出さないように窓際に座らせ、凛子は通路側に並んで陣取った。

迷える子羊を救ったような気分に浸っていた凛子は「ぎょっ」とした。

凛子の目線の三列先の席に、こちらを向いて座っている従兄の聡お兄さんが目を丸くしていたのだ。

予想もしない展開に、時間が止まったように凛子も聡も動かなかったが、汽車が軽井沢駅に停車するや否や、聡が急いでホームに降りる姿が見えた。

横川と軽井沢の間にある碓氷トンネルの急勾配を越え、歯車が付いたアプト式機関車を切り離すために、軽井沢駅での停車時間は他の駅よりかなり長い。その時間を利用して乗客は、ホームに降りて切り離し作業を見学したり、駅弁を買ったりしている。だから凛子も、聡が列車から降りても特別気にも留めなかったし、しばらくして席に戻って来ていた。

汽車が善光寺平に入るころにはすでに窓の外は暗くなり始めていた。長野駅も近づき少し手前の屋代駅に着いた、まさにそのときだった。ここまで何の行動も起こさなかった聡が突然、凛子の方に向かって来た。聡は凛子の右腕をつかんだかと思うと、横に座っている大林と言葉を交わす間も与えず、否応なく客車から降ろした。凛子が引きずり降ろされたホームには、驚くことに母と稲荷山の伯父に伯母三人の険しい顔が待っていた。軽井沢駅で聡が電話で知らせていたのだ。

駅から直接、稲荷山の家に〝連行〟された。

皆に取り囲まれて真ん中で正座する凛子は、厳しい詰問の標的になった。

「そもそも黙って東京へ行くとは、何事か！」とか、「しかも、男と駆け落ちするなんて！」などなど。そして、「まったく困った娘だ……」と、皆がため息を漏らす。

「そうじゃない」。凛子は言い返す。

黙ってなんて東京へ行っていないし、「反対されても行く」って宣言していたじゃない。伯母さんを通してだけど……。

「駆け落ち？　嘘でしょ！」――上野駅で偶然出会って「帰りたくない」と言う大林君を説得して連れ帰ったって、もう何度も説明したように「私は一人の少年の将来を救ったようなものなのよ」。

母のきつい叱責に気圧されてしどろもどろになりながらも、誤解を解こうと懸命に説明すべきことはちゃんと話した……そのつもりだったが信じてもらえず、結果として頭から決め付けられたように「男と東京へ駆け落ちした」ことにされてしまった。

でも「あしたから学校が始まるから、こうして戻って来たの」と、わずかに試みた抵抗への代償はあまりに大きく、凛子の人生を変えて余りあるほどの衝撃が待っていた。

「学校なら、もう行く必要はないからね」

「えっ」

思わず見返した凛子の視線を厳しい目ではね返して、母は冷たく言った。

「お前が黙って『家出』をしたから、学校に『退学届』を出しておいたから！」

訳が分からなかった。真っ白になった頭の中に去来する絶望感が、「もう、おしまいだ」と言っていた。

何の言い分も聞いてもらえない凛子は、ただ黙るだけだった。

第三章　あしながおじさん

「違う、違うよ。駆け落ちなんかじゃない！」

心の中で何度、叫んでみても現実は変わらない。

夢をかなえて入学した長野清倫女学院―あしたからスタートする新学期の学籍簿に凛子の名前はすでに存在しない。春休みを利用して無断で東京に行ったことに激怒した母が、躊躇（ちゅうちょ）することなく「退学届」を出していたのだ。

だから駆け落ち云々が、あろうがなかろうが「退学」に至る結末は変わらなかったと、凛子は思う。

けれども「男と駆け落ち」などという情けない誤解を受けたこと自体が悔しかった。凛子自身の言い分をまったく信じてくれなかった母と伯父、伯母が恨めしい。

大好きな「稲荷山の家」で、今し方まで糾弾され屈辱にまみれていた凛子は、一階から二階の間借りしている自室に戻る束の間に、恐ろしく早く気持ちを切り替えていた。落ち込むどころか燃え盛った反発心を原動力に、頭が勢いよく回転し始めているのだ。

―あしたからは、もう学校に行かれないのだから、どうしてここにいる必要があるの？「無い！」。だとすれば……そうだ、「東京へ行こう」。これ以外の考えは何も浮かばなかった。

こうと決めた凛子はもう止まらない。今夜のうちに家を出る決心をする。

稲荷山の家族はみんな寝静まっている。手提げかばん一つ持った凛子は、表の通りに面した二階の窓をそっと開け、屋根を伝って何とか道路に降りた。

夜逃げ同然に物音ひとつ立てないよう細心の注意を払ったつもりが、瓦を踏む音を住み込みで働く塚原の兄ちゃんに気付かれてしまう。

「凛子ちゃん、ちょっと待ちなさい」。道端で咎められた凛子は、引きとめようとする塚原にこれまでの経緯を筋道立ててちゃんと説明した。

「私の言うことを誰も信じてくれなかったの。お願いだから、このまま黙って行かせてよ」と凛子は必死に懇願した。

すると塚原は、その健気さに心を打たれたように、逆に凛子を自転車の後ろの荷台に乗せて屋代駅まで送り、「家出」を手助けしてくれた。

朝一番の下り列車を待つ凛子は、突然嵐に見舞われたようなきのう一日の出来事を思い返していた。

上野駅で遭遇したあの大林勝男に親切心を発揮した持ったばかりに、こんなことになってしまった。

どうして、私は、こうなんだろう……。生来の優しさが裏目に出る恨めしさを嘆く。

春休みの東京滞在で所持金のほとんどを使い果たしていた凛子は、東京に行く前にいったん長野駅へと向かった。長野市一番の繁華街、権堂で店を構える寿司屋の息子、大林を呼び出した。

「あなたのせいで、家出をする羽目になっちゃったけど、東京へ行くお金ないから何とかしてくれる？」

当然の権利のような口ぶりで言った。

「ちょっと、待ってて」とためらいながらも、こう言い残して家の中に入って行った大林は、しばらくして戻ってきた。

当時としては珍しい持ち運びのできるカセットデッキを肩に担いでいた。

「付いてきて」。言われるままに凜子は後を歩いて行くと、大林は「質屋」の暖簾が掛かる地味な店の玄関戸を開けた。

凜子は「質屋」がどういう所なのかまったく知らなかったが、しばらくして店から出て来た大林はなぜか手ぶらだった。そして「これっ」と言って、ぶっきらぼうに現金を差し出した。

カセットデッキはどうしたのかしらと、そのときは思った凜子だが、大林から受け取った三〇〇〇円を握り締めて長野駅に直行し、「上野行」の汽車に乗った。

車窓を去って行く信州の景色に寂しさは感じなかった。昨夜の悔しさも、悲しみも薄れていく。刻々と東京に近づいている実感に胸が躍った。

ただ、人一倍優しい稲荷山の伯父と伯母の困り果てた、悲しそうな顔が自然と頭をよぎり、二人への心苦しさだけが澱（おり）のように溜まっていた。

汽車は荒川の鉄橋を渡った。さあ、いよいよ東京というところで、今まで考えまいとしまい込んでいた、ある不安が頭をもたげた。

――家出の少年少女が増える春先の上野駅では、補導が盛んに行われていると聞いたことだ。まだ十六歳の凛子は、まさに補導対象の「家出少女」そのものだ。このまま上野駅に着いてしまったら、それこそ「飛んで火にいる」何とかになってしまう……。

考えを巡らした凛子は、上野駅一つ手前の赤羽駅で降りた。

初めての赤羽。東京のどの辺りにあるのかさえ知らない。右も左も分からない中で唯一の拠り所――小松美恵子を頼ったところで、すぐに居所を突き止められてしまう心配がある。どこへ行く当てもない凛子は、意を決して「エイッ」とばかりに赤羽駅前のタクシーに乗り込んだ。

「この道をまっすぐ行ってください」と、運転手に告げることしか方法はなかった。

長野から上野までの汽車賃、急行券を含めて八一〇円。残りの手持ちは二二〇〇円足らず。タクシーの料金メーターが「カチャ」と上がるたびに睨み付ける数字が、ついに「一〇〇〇円」を刻んだところで、凛子は思い切って尋ねた。

「どこかこの辺に、住み込みで働ける所を知りませんか？」

「いいとこ、知ってるよ」

すべて「お見通し」とばかりに、間をあけることなく答える運転手はすぐにメーターのヘラを下げて、料金を「0」に戻した。

運転手はあるバーへと向かった。店のドアの外で「ママさん」らしき人と何やら言葉を交わした後、凛子を手招きして紹介した。

凛子は、この日のうちに店舗兼住宅の一室に住み込んだ。

板橋区蓮沼町という所にあるバーは、表通りから一本入った何となくうら寂しい路地にポツンと一軒―という佇まいを見せている。

手垢にまみれたドアを開けると、目の前にせいぜい八人が座れば満席のカウンターがある。そのカウンター内のガラス戸の向こう側が、凛子たちが住む居住空間になっていた。

九州は福岡の炭坑町の出身だと言う小柄なママと旦那、若くてコロコロと太ったホステス。明るくて親切で人懐っこい「九州人」三人の家庭的な小さなカウンターバー。そこで凛子は、壊れ物のように優しく大切に扱われ、店を開ける前の支度や掃除洗濯などは〝免除〟された。

ママは、まだ接客のおしゃべりも満足にできない凛子に「エリカ」という名前を付けて、

「エリカちゃんは、カウンターの中にただいてくれれば、それでいいからね」と言った。

凛子は言われた通りカウンター内で、高い丸椅子にマネキンのように黙って座り、時折話し掛けてくるお客さんには、ただ会釈で応えるだけでよかった。

こうしたエリカを演じている凛子にとって、一日の楽しみは、店が終わってからの夜食時間にあった。

トーストした食パンにバターを塗り、そこに砂糖をたっぷり降り掛ける。この定番の夜食を取りながら交わす賑やかなおしゃべりタイムは、当然のことに九州弁のるつぼとなる。独特のイントネーションも絡まって耳新しい九州弁は、聞いているだけで面白くて仕方なかった。また「ずくなし」が長野県でしか使っていない方言だということを知り、九州弁の「直しんしゃい」が「片付けなさい」という意味だと分かった。

日本人でも通じない日本語があることを初めて〝発見〟したように、凛子はこれ以外にもずいぶんといろいろな「世間」というものを、ここで学んだ。


季節の移ろいは早い。凛子がうすら寒かった早春の信州から出て来た東京は、もう夏の暑さが訪れていた。

「夏服が欲しいなぁ」。長野の家に置いてきたたくさんの洋服を思い出した。

家出娘が今さら言えた義理ではないが、背に腹はかえられない。勇気を振り絞って母の居る実家にかけた電話。いつものように従業員が出るものとばかり思っていた凛子は、「ドキッ」という音が聞こえるほど驚いた。受話器から聞こえてきた声は、まさに母だった。たじろぎながらも凛子は、恐る恐る頼んだ。

「夏服を、送って、もらいたいのだけれど……」

東京に来て、初めて消息を知らせる連絡だ。きっと、すごく怒られるだろう。今どこで何をしているのか、厳しく聞かれるだろう。そして、さぞかし心配しているだろうな、と。いろいろと考えを巡らせながら、また、そう尋ねられることをちょっぴり期待し、凛子は電話口の母から返ってくる言葉を待った。

「必要だったら、自分で取りに来なさい！」

この、たった一言で、電話は何の余韻も残さず「カシャ」っと冷たく切れた。

「母は私のことなんかはどうでもいいのだ」ということを凛子は思い知らされたのだ。とにかく寂しかった。やるせなかった。心の置き所もなく焦点も定まらないまま、一方的に切られた電話をただ見詰めていた。

ある日、凛子はバーにくる男性客に誘われて池袋のデパートに行った。

その男性は、ねだったわけでもないのに、竹で編んだバスケットや真っ白なレースのフリルがたくさん付いたワンピース、いつか履いてみたいと憧れていたハイヒールなどを買ってプレゼントしてくれた。

その後もたびたび、買い物やおいしい食事に誘われるなど単なるお客さんの域を超え、凛子にとっては「あしながおじさん」みたいな存在になっていた。

男性は永坂薫と言った。元々は大通りにある寿司屋の板前が、凛子のいるバーに連れてきたお客さんで年齢は三十代から五十代？　凛子には見当もつかなかったが、もらった名刺には大きな会社の「顧問」とあった。

しばらくすると永坂は「凛子ちゃんは、まだ学校に行く年齢だから」と言って、バーを辞めるよう説得した。そして住み込みのバーを離れることになった凛子のためにアパートを探し、引っ越しの手配から最低限の生活用品まで全ての面倒をみてくれた。

アパートは、世田谷区羽根木町の大きな屋敷の庭に新築されたばかりで、綺麗な四畳半の部屋が三軒分あるだけ。新宿に近いのに緑が多い閑静な住宅街で、親切な甲斐さんというお姉さんの隣人にも恵まれた。

さらに永坂は、「働くなんて思わずに、高校に通いなさい」と勧めた。その上で「桜坂高校なら入学させてあげられるし、卒業するまで学費の面倒もみてあげるから」と言った。

後日、その言葉通り、凛子を高校まで連れて行き校長に引き合わせてくれた。

凛子は、ここまで心底気遣ってくれる永坂の有り余る親切に、どのようなお礼をしたらいいのか分からず、申し訳なさだけが募って心が押し潰されそうだった。

あるとき、思い余った凛子は永坂にこう切り出した。

「こんなに良くしていただいて、本当に感謝しています。お返しが何もできませんので、今晩はどうぞ、私の部屋にお泊りください」

凛子なりに考えた感謝の伝え方――今できる、恩に報いる精一杯の〝仕方〟が、これだった。

すると永坂は包み込むように、「そんなこと考えなくてもいいから、学校に行くことだけを考えなさい」と、短絡的に突っ走る凛子の言動を諭した。

凛子の「あしながおじさん」は、嘘偽りなく〝本物〟だった。

しかし、連れて行かれた高校で女生徒たちの無垢で爽やかな笑顔に触れたとき、すでに凛子の気持ちは決まっていた。

――ここは自分の住む世界ではないこと。そして、もう決して元には戻れないことを。

夢のような話を辞退した凛子は、高校へ行く替わりに新宿歌舞伎町の「エルザ」という、当時はやりの美人喫茶で働くことにした。

髪をアップにし、ワンピースを着て、ハイヒールを履く。すべて大人の装いに着飾った凛子は、ボックス席の角で〝美しい立ち姿〟をお客に見せて、会話を楽しんだり、タバコに火を付けたりするのが仕事だった。

コーヒーを運ぶウエイトレスとは区別され、大学卒業の初任給が二万円前後の当時、凛子の日給は一〇〇〇円と破格だった。また「女子」から「女性」に変身できるお洒落が、何より楽しかった。

ようやく生活も落ち着き、東京の親戚や友達とも連絡を取り合っていた、そんなある日、偶然エルザで思い掛けない同郷の知人と出会った。

「あれっ、凛子ちゃんじゃないの?」

いきなり呼び止めた声の主は、高下駄を履いた料理人の格好をした男性客。

「あ〜っ。正則お兄さん!」。凛子もつられるように声を上げた。

長野県の野尻湖畔にある旅館の息子で、凛子の母吟と旅館女将で正則の母は、友だち付き合いをしている。毎年夏には家族で泊りに行っていたこともあって、正則とは親同士が決めた「許婚」だったと聞いたことがある。

二人とも、飛び上がるほどびっくりした。驚きと一緒にお互い同じ〝質問〟が口を衝いて行き交う。

「なぜ、凛子ちゃんが東京⁉　しかも、喫茶店で働いているの？」

「どうして、正則お兄さんが、ここにいるの？」

正則は、この近くの料理屋で「料理の修行をしている」ということだった。凛子は懐かしさ以上に、この広い東京で気の置けない知人が近くにいることに心強さを覚えた。

懐かしい、と言えば言えるかもしれないが、凛子にとっては「疫病神」のような大林勝男が、ひょっこりといった感じでアパートを訪ねてきた。

それも今朝美というダンサーで、ドーラン化粧に付けまつげと、ものすごく派手な女の子を連れて「今夜、泊めてほしい」と言う。

頼まれると、むげに断ることもできない人の良い凛子は、泊めるには泊めたのだが……。二人の夜の〝秘め事〟に悩まされた上、自分の息遣いにさえ気遣って寝返りも打てず、狸寝入りする羽目に陥った。それは長い眠れぬ夜だった。

この日から今朝美は、ちょこちょこ遊びに来るようになり、そのうちに「お金を貸してほしい」と言い出した。それも頻繁に「父親が交通事故で亡くなり、すぐに宇都宮の実家に帰らなければならない」に始まり、母親がどうだとか、兄がどうしたとか、さまざまな理由を考えて借りに来ては泣き喚く。

これが今朝美の「うそ」だと分かっていても、「もしも本当だったら可哀そう」と情にほだされて、凛子はついつい貸してしまう。

貸したお金を返してもらうときなどは、「お金を返しに行くから、必ず家にいてね」ともっともそうな今朝美の言葉を信じて、アパートから一歩も出ずに一日中待っていても、連絡があるでもなく、案の定と言うべきか、とうとう返しに来ることは一度たりとてなかった。

こんなことは日常茶飯事だった。

凛子が舌を巻くほど今朝美には演技力がある。とはいえ、分かっていながら騙されても、騙されても、懲りずにお金を工面するのが、凛子の凛子たる所以なのかもしれない。

こうした凛子のお人好しが、ある出来事を招いてしまう。今朝美を連れて来た例の大林に、何と「空き巣」に入られてしまうのだ。

それは店に出勤する途中、忘れ物に気付いて戻ったときのこと。見たこともない小型トラックが、アパート入り口に横付けされていた。

「誰か、引っ越しなのかな⁉」と思ってよく見ると、他でもない凛子の部屋から買ったばかりの高級なステレオが、持ち出されようとしているではないか。

「えっ、うそでしょ！」。四苦八苦して運び出している二人の男のうちの一人が大林だったのだ。

さすがの凛子も、このときばかりは我慢できなかった。それでも「二度と来ないで！」と怒鳴って、追い返すだけで済ませた。

本当に迷惑を掛けられ通しの大林は、まさに「疫病神」そのものだった。

一般的にはまだ高校生、人生を振り返るような年代ではない。だが凛子の場合、十代にして生涯を形容する「波乱万丈」と言えるほど多様な生き方で、今も、まったく平坦など知らない荒野の凸凹道を歩んでいる。

そしてまた、とんでもないトラブルに巻き込まれる。

—拉致。

この日も、いつものように勤めに出る凛子は、アパートから初台の駅に向かって歩いていた。

そこは路地で道幅が狭い。後ろから来る自動車に気付き、左端によけて道をあけた凛子に沿って、黒塗りの乗用車が止まった。

と、その瞬間、車から飛び出るようにして二人の男が降り、凛子を両端から挟むようにつかんだ。

「助けて！」

とっさに凛子は叫んだが、抵抗する術もなく強引に車の中に押し込まれる。まさに「あっ」という間、いとも簡単にさらわれた。

目と鼻の先の八百屋には買い物をする三、四人の女性客がいた。いずれの客も叫び声を聞き、凛子が連れ去られる現場を目撃したはずなのだが、「一一〇番」する人はいなかった。

それより何より、誰もが何が起きたのか理解できていなかったのだ。犯行はそれほどの〝早業〟で決行されたと言えた。

車には、運転と助手席を含め四人の男たち。

「誰なの?」

「何のまねなの?」

車に連れ込んだ実行犯の男二人に両脇を固められ、後部座席の真ん中に座らされた凛子は、男たちを交互に見やり声を荒げて抵抗を試みるが、男たちは見事なまでに無視した。

車はどれほど走ったのだろうか。混乱の極みの中で凛子には見当もつかなかったが、着いた先はとある旅館だった。そこに待っていたのは、暗い顔をした和服姿の旅館女将と思しき人物で、「どうぞ」とでも言うように男たちと軽く目配せし合った。

再び両方から腕をつかまれた凛子は、旅館の玄関から二階突き当りにある部屋へと連れ込まれた。

部屋は六畳ほどで、入って手前右側に床の間があり、左側には洋服ダンスが置かれていて、正面がガラス窓になっている。そこに敷かれた一組の布団が目に入った。

「どうしよう」

凜子は、戸惑いながらもおおよその見当がついていた。そして考を巡らして頼む。

「トイレに行かせてください」。そう、トイレから逃げ出そうとしたのだ。

襖を開けて部屋を出た廊下には、監視するように二人の男が立っていて、トイレまで付いてきた。

トイレに入り見回せば、脱出口になりそうなのは小窓一つ。しかも、凜子が手を伸ばしてやっと指先で窓を開けられる高さで、壁に足を踏ん張って窓から顔を出して見ると、そこは地面まで垂直の板壁だ。

とても脱出なんてできそうもないことを、悟るしかなかった。逃亡を諦めて渋々戻った部屋には、凜子を拉致した四人のうちで一番偉そうな男が胡坐(あぐら)をかいて一人でいた。

凜子は部屋の出入り口辺りに座った。

「布団に入れ」と、その男は言った。

凜子は黙って座っている。

「布団に入れ!」。再び言った。

オウムのように何度も「布団に入れ」と繰り返す男。じっとして動かない凛子――。しびれを切らした男は、やおら立ち上がり洋服ダンスから木のハンガーを持ち出した。そしてハンガーをかざして凛子に近づくと、息を荒げて「布団に入れ」と叫びながら、凛子の肩や背中にハンガーを振り下ろして叩き始めた。

覚悟して身構えた凛子だったが、痛さはまったく感じなかった。叩かれながら凛子は、男が手加減しているのを感じ取った。

この人なら私を殺したり、酷い目に合わしたりすることもないだろう、大丈夫――と、楽観する凛子はその一方で「もう逃げられない」と観念した。

ここまでくれば、なるようにしかならないと、捨て鉢気味になった凛子は「えいっ」とばかり布団の中に身を投げ出し、掛け布団を引っ張り上げて頭まですっぽり被った。

布団の中で息を殺してどれだけ時間が経ったのか、凛子には見当もつかなかったが、男が布団の中に入ってくる気配が一向にしない。

これが〝怖いもの見たさ〟という衝動なのか、掛け布団をそっと持ち上げて様子をうかがう凛子。枕元で胡坐をかいた男の背中が見えた。しかも、男の肩が小刻みに震えている。

その男は、声を押し殺して泣いていたのだ。

何が何だか、事態がのみ込めない凛子は、動くに動けずしばらくじっとしていると、男は蚊の鳴くような声で、「済まないことをしたな」とポツンとつぶやいた。

男は、凛子の体に指一本触れることはなかった。

思いがけない事の成り行きに思考が追い付かないまま、困惑の凛子は拉致実行犯の男たちによって、アパート前まで車で送り届けられた。


しかし事は、これで終わってはいなかった。二日後、部屋のドアがノックされた。

無警戒にドアを開ける凛子を押し退けて、一人の男がものすごい勢いで狭い玄関に入り込んだ。凛子を拉致した首謀者——。

上がり框に座り込み、隠し持った包丁を畳にグサッと突き立てて凄む。

「俺は、木戸組若頭の山岡だ。お前は、俺の女になれ！『なる』と言うまで何度でも来るし、逃げてもどこまでも追うぞ！」

山岡……⁉ 小さいころから、凛子を本当の子どものようにかわいがってくれた伯父と伯母。その「稲荷山の家」と同じ名字だと思った途端に怖さも忘れて、なぜかこのことだけが凛子の頭の中でグルグル回り始めた。

それはそうとして、凛子を拉致し、監禁した旅館で、肩を震わせ泣いて謝った気弱そうな、あの男の姿は今はどこにもなかった。

「凛子ちゃん、どうしたの？　何かあったの？」

騒ぎを聞きつけて、玄関をのぞき見るように顔を出した隣人、甲斐姉さんの出現によって山岡は出鼻を挫かれたようにして帰り、この場は何とか収まった。しかし、凛子の心は千々（ちぢ）に乱れていた。

男は以前から凛子のことを調べ上げ、日常生活を執拗に監視していたに違いない。そして部屋に押し入って放った、あの脅し文句。凛子の頭にこびり付いて離れない。

「逃げても、どこまでも追うぞ」

あんな男に目を付けられてしまった私の一生は「終わった」。

突如、放り込まれた絶望の闇から抜け出す手段を、凛子は持ち合わせていなかった。

かつて「こんな薬は良くない」と今朝美から取り上げ、手元に置いてあった睡眠薬――当時、不良グループなど若者の間で流行していた〝睡眠薬遊び〟で使われる「ハイミナール」。それを飲んで死のうと思い、即実行に移した。

何錠入っているか知らない。が、凛子は、一瓶全部をためらいもなく一度に口の中に放り込んだ。ところが意に反して、あまりの苦さとまずさで口内に溢れるハイミナールを、手のひらに思わず全て吐き出してしまう。

しかしこの程度の〝失敗〟で、いったん決めた自殺を思いとどまるような凛子ではない。

手のひらいっぱいに吐き出したハイミナールを、今度は何度にも分けて少しずつ口に運び、水で錠剤の全部を飲み切った。

そして布団の中で眠りに落ちた……。どれほどの時間が経ったのだろう。

白衣の医者と看護婦、アパートの大家と甲斐姉さん、さらにあしながおじさんの永坂までもが心配そうに覗き込んでいた。目を覚ました凛子の瞳に、それぞれの顔がボーっと映った。

凛子は、死ねなかった。

いつも優しく気に掛けてくれる隣の甲斐姉さんが、心配して様子を見に来て凛子の異変に気付いた。大家に知らせ、大家が凛子の保証人となっている永坂に連絡したという。

しばらくして落ち着いた凛子は、自殺を図らねばならなかった顚末を永坂に語った。

ある夜、永坂は凛子を連れて車で世田谷の成城に向かった。車はいかにも頑丈といった大きな門を入って、玄関付近で止まった。

映画でしか見たことがないような大邸宅だった。

庭園灯にかすかに黒く浮かび上がる池と、こんもりした築山に臨む座敷で、永坂と凛子はいやおうなしに緊張していた。

しばらくして、紺色紬の着物姿の主が現れた。坊主頭が威圧感を放っているようにも見える。

床の間を背負ってどっしり構える主に、下座で永坂は襟を正して何やら話している。耳を傾ける主は言葉少なに何度かうなずく。

凛子は傍でただただうつむき、じっと座って畳の目を数えているだけだった。

屋敷を辞した帰り道、車を運転しながら永坂は助手席の凛子に、医者が患者に病状を説明するように話した。

「今晩、会った人は『児島富士夫』と言ってね、右翼の大親分だから、もう二度と池袋のヤクザは、凛子ちゃんの所には来ないから」と言ってから、続く言葉に力を込めた。

「安心しなさい」

凛子は初めて聞く「右翼」も「児島富士夫」の何たるかも、まったく知らなかった。それでも「安心しなさい」の一言が、地獄から救い出してくれる〝蜘蛛の糸〟のように頼もしかった。

この蜘蛛の糸が決して切れないことを願った。

それにしても、何の見返りも求めない永坂薫という凛子の「あしながおじさん」は、いったい何者なのか、謎は深まるばかりだが、凛子の窮地を幾度も救ってくれた。「救世主?」あるいは「守護神?」――どちらにしても凛子の心強い「味方」であることに疑いはない。

永坂に限らずいろいろな人に運よく助けられて、今日あることだけは確かだった。

このころから、凛子が初めて東京に出てきて泊めてもらった中学の同級生、小松美恵子が遊びに来るようになっていた。

一方で凛子は、今朝美に誘われて新宿西口のキャバレーに勤めを替えるのだが、美恵子も一緒に働きたいと言って集団就職した会社を辞め、当時は田んぼだらけだった新宿淀ヶ橋に住む兄の所に引っ越した。

こうして三人は同じキャバレーで働くことになった。

キャバレーには生バンドが入っていて、凛子と美恵子は今朝美からダンスを教えてもらい、ジルバとかタンゴなどの軽快な曲に合わせて踊った。

そして日々、派手な化粧とドレスを身にまとい、飲めないお酒を飲んでは騒ぐ。飽き足らず、ドリフターズや内田裕也などがちょくちょく出演する池袋や新宿の有名なジャズ喫茶にも出入りした。

さらにタバコを覚え、紫煙をくゆらせては大人の女性を気取った。

三人はまさに「狂喜乱舞」を地で行く生活を送っていた。

朝方まで遊んで帰宅。夕方近くまで寝て、起きてキャバレーに出勤。お金を稼いでは朝帰り――。

凛子はある日、突然、こんな自堕落な暮らしに嫌気が差す。
〝正気〟を取り戻した凛子は、生活をリセットするため長野に帰ることを決めるのだ。

第四章　葛藤渦巻くひと目惚れ

母の吟は、怒るでもなく、かといって嬉しい顔を見せるでもなかった。

当の凛子が不思議に思うほど、東京から突然舞い戻った家出娘を、何事もなかったように自然に受け入れた。

その代わりと言ったら変に聞こえるかもしれないが、凛子は帰郷したその日の夕方から、母に着物を着せられて「割烹陣屋」のお座敷に出た。料理を運んだかと思えば客の隣に座ってお酌をし、歌が出ればそれに合わせて手拍子を打った。

接客は東京で手慣れていたとはいえ、お座敷のそれは勝手が違った。接客の〝密着度〟がとにかく濃かった。それに凛子が最も嫌だったのは、酔った客とチークダンスをしなければならなかったことだ。

「お客さまと踊りなさい」。母から突然、こうした〝命令〟が凛子に下る。

客を目の前にして言われては、嫌な顔をするわけにもいかず、作り笑いで仕方なく応じる。と、そこに待っているのは、酒の臭いをプンプンさせながら足元もおぼつかない酔客。その胸に抱かれて踊るわけだが、それはもう顔を背けたくなるほど嫌だった。

本格的に割烹を手伝い始めた凛子は、いつしか自動車に興味を持つようになっていた。

あるとき、凛子はダメモトで母の顔色をうかがいながら頼んでみた。

「運転免許を取りたい」

昭和三十九年当時、「私はウソを申しません」の池田勇人首相がぶち上げた所得倍増計画（昭和三十五年）による高度成長下で、東海道新幹線の開業や第十八回東京オリンピックの開催など、世界から「奇跡の復興」と称賛され、日本全体がイケイケの絶頂期にあった。また、前年（昭和三十八年）には名神高速道路が開通し、折からのモータリゼーションに拍車を掛け「マイカー」という和製英語も定着していた。

しかし、その「マイカーブーム」は男社会の中にとどまっていて、自分が所有する自動車を運転する女性は少なく、長野市でも数えるほどしかいなかった。

その希少な女性ドライバーの一人に凛子が名を連ねるためには、自動車教習所に通う必要があった。教習期間は約一か月。それなりの出費を必要としていたことから、母に伺いを立てたのだ。

ところが、お金にシビアな母は、頼んだ凛子自身が拍子抜けするほどあっさり「ＯＫ」した。それにはわけがあって、運転免許を取った暁には、請求書配りや集金など家の手伝いをすること、母が外出する際には車を運転するといった、母が示す条件を凛子が全てのむことだった。

凛子にとって、それらは何の支障にもならなかった。

心躍らせて教習所に通い始めた十七歳の凜子に、翌八月の十八歳を迎えた誕生日その当日、免許証が交付された。

すると母は、お祝いだと言って、中古ながらトヨタの小型乗用車「パブリカ」を買って、プレゼントしてくれた。トコトコと軽いエンジン音を立てて走る、いかにも〝大衆車〟という趣の人気車だった。

だが凜子には、運転免許を取ったら真っ先に乗りたいと思っていた乗用車があった。当時のダットサン（日産）ブルーバードで、初めて女性ユーザーをターゲットにした「ファンシーDX」。

どうしても欲しかった凜子は、後日、パブリカを下取りに出し、東京で蓄えた貯金を崩して買い替えた。女性仕様の乗用車らしく黄色の車体で、後ろの窓にはレースのカーテン、ウインカーを出すとオルゴールがメロディーを奏でた。

運転している凜子は自然に笑みがこぼれ、ハッピーな気分へと誘われる。何よりドライブが楽しかった。

「お前の顔は、父親にそっくりだよ」

いつからか母の吟は、こんなことを娘の凜子に面と向かって口走るようになった。

何を思っての嫌みか分からない。ぽろっと、たまに言うだけのそれが、度重なっていくうちに――「私は、お前の父親が大嫌いだったのよ」とか、「だから、結婚して二か月足らずで別れたのよ」とエスカレートした。

戸籍上、夫婦関係は四か月続いたことになっているが、それはそれとして母の言う「お前の父親」というのは「中園忍」のことだと、凛子には見当がつく。

高校に進学する際に戸籍抄本で初めて知った「実の父親」の名前。ショックを受けた凛子が、戸籍抄本を見せて尋ねた途端に「余計なことを聞くな」と、母がものすごい勢いで逆上した。

しかし、どうしても出生の真実を知りたかった凛子は、屋根裏部屋をあさるように手掛かりを探したが、実父の輪郭にさえたどり着くことはできなかった。

それ以来、聞きもしない、話もしない、一切触れることなく、お互い今日まできたはずだった。

実の母親でありながら、あれほど知りたがっていた自身のルーツの〝知る権利〟を、娘からほぼ強権的に奪っておきながら、今さら何に感じて母は自ら口にしだしたのか？

混乱する凛子を尻目に、母は聞かれもしない「中園忍」の話をさらに持ち出す。

「お前の父親は盗み癖があって、本当に私は大嫌いだった」

「盗み癖って、何よ」

凛子は怒った口ぶりで聞き返す。

「終戦から間もなくして結婚したが……」と話し出した。

終戦直後に結婚したのか――。凛子にとっては〝初耳の事実〟だった。母は続ける。

「あの人は、自分の職場から食べ物を黙って持って来てしまい、私に『食べろ』『食べろ』と言うのよ」

聞いていて凛子は「えっ、それを『盗み癖』って言うのか?」と思った。

あの食糧難の混乱状態の中で、黙って持ち出すのは良くないことだけど、世間では多かれ少なかれ日常的な出来事としてあったのではないか。見方によっては、夫の妻に対する愛情の表れとも受け取れる。

だけれども、凛子は言い返さなかった。

最初の夫、忍のことを「嫌いだった」「大嫌いだった」と繰り返す母を一人の女、吟として見たとき凛子は訝しく思う。

吟は凛子を身ごもってから忍と結婚した。今で言う「できちゃった婚」を戸籍が証明している。あの性格の強い吟が、これほど嫌い(と言う)な男とこのような関係になるはずはない。むしろ、吟の方から忍を好きになったのではないだろうか。

そう思う凛子でも、「忍が大嫌いだった」の言葉を浴びせられるたびに、自分も母に嫌われている気がする。悪さをして叱られる子どもみたいに、いつも身を縮めて悲しみをやり過ごした。

こうして凛子は、会ったことも見たこともない実の父親のことで、これまた実の母親から、五十歳を過ぎるまで口を極めてののしられるのだ。

母が恨めしかったが、実の父親を巡っては他にもこんなことがあった。

凛子は「割烹陣屋」の西側の階段を上がった所の小部屋を寝室にしていた。ある朝、その寝室に「大切な話がある」と言って、板前の男が訪ねてきた。

板前が切り出したところの大切な話とは、「あなたの本当のお父さんは、稲荷山の伯父さんだ」とする、あまりに突拍子もない話だった。

確かに稲荷山の義男伯父は、凛子のことを幼いころから人一倍かわいがってくれたが、戸籍簿にはそのような記述のかけらもない。それでも、凛子の頭の中はわずかに混乱した。

―実の子だから伯父は、目の中へ入れても痛くないほど大事にしてくれたのか。

―いやいや、私は伯父には似ていない。

どのようなつもりで、何の目的があって、こんなことを伝えにきたのか。板前の真意は別にしても「本当のお父さんは、稲荷山の伯父さんだよ」の言葉が、この先何年にもわたり、凛子の心の片隅にへばり付いて離れなかった。

きっとそれは、伯父が本当の父親であることを願う気持ちが、凛子のどこかにあり続けたからだろう。


吟の現在の夫、雑賀正の知人が家族同様に「陣屋」に入り浸っていた。

中本将士というその知人は、年齢が二十三、四ほどの独身男性で、吟も気に入っていたようだ。

毎晩店に来ては、勝手場の手伝いが一段落する雑賀を待って二人で居間に上がり込み、酒を酌み交わしては楽しそうに話を弾ませていた。

吟と雑賀は、凛子をこの中本と結婚させようとしていた。

当の凛子は、権堂の映画館横にある喫茶店に出入りしていて、そこで知り合った北沢千代江と親しくなった。千代江は「ホール権堂」というキャバレーに勤め、「いつでも遊びに来ていいよ」と気さくに誘ってくれていた。

いつしか凛子は、店の仕事が終わると、キャバレーに行くのが習慣になっていた。

そして〝男踊り〟ができる千代江と、生バンドの演奏に乗って大好きなダンスを楽しんだ。

「帰る方向が同じだから、車で家まで送ってあげるよ」

いつものように、たっぷり爽快な汗をかいて踊り疲れた凛子は、千代江の知り合いという男性から声を掛けられた。男性は、権堂に料亭やキャバレーを何店舗も展開する商事会社の部長で、凛子は疑いもなく言葉に甘えた。

部長が運転する車は凛子を乗せ、どういうわけか善光寺方面の家とは逆の方向へと走り出した。

不安を覚えた凛子はすかさず尋ねた。

「どこへ行くの？」

「いや〜、軽井沢の知り合いがね、二四時間営業の素敵な店をやっているから、今から行こうよ」と部長は、悪びれずに笑いかけた。

が、唇を歪ませた意味ありげな横顔に薄気味悪さを感じた凛子は、「今日はもう疲れたから、軽井沢には行かれないわ」と、刺激しないようにやんわりと断った。

「この次に時間を取って、あらためてもっと早い時間にゆっくり行きましょうよ」

しかし、無言の部長は、アクセルを緩めることなく踏み続ける。

暗い国道十八号線を車はスピードをグングン上げる。真夜中で他の車の往来も少なく、部長は全ての交差点を信号無視で突っ切り、何度も引き返すよう頼む凛子は無視された。

四五分ほど走ったころ、ふと後ろを振り返った凛子の目にパトカーが映った。凛子は咄嗟（とっさ）に、スピード違反でパトカーに捕まえてもらおうと考えつき、こう部長をけしかけた。

「じゃあ、軽井沢に行くことにするけれど、時間が遅いのでもっとスピードを上げて早く行きましょう」

部長はまんまと凛子の計略にはまり、さらに速度を上げた。果たして、パトカーは目論見通りにサイレンを響かせて、部長の車を道路わきに停車させた。

部長がパトカーの後部座席に座らされて警察官の尋問を受けている間に、凛子は身をかがめて車から滑るように〝脱出〟。夜中のけたたましいサイレンに何事かと、外の様子を見に出ていた一人のおじさんを目掛けて駆け寄った。

ここは、上田市の手前にある坂城町の「ねずみ」という地籍で、おじさんは土塀の立派な門をしつらえた家の住人だった。

「助けてください。無理やり車に乗せられ、ここまで連れてこられました」。まくし立てるように助けを求める凛子の事情を即座に察知して、「こっちに入りなさい」と凛子を門の中に招じ入れた。

しばらくして、事情聴取を終えた部長は、警察官に「安全運転で行きなさいよ」と声を掛けられて、車を軽井沢方面に向けて発車させた。またパトカーも、部長の車を追うようにして走り去った。

門に隠れるようにして、息を整えながら外の様子をうかがっていた凜子に、おじさんは優しく「今晩はもう遅いから、よかったら家に泊まって、あした長野に帰りなさい」と勧めてくれた。

極度の緊張から解放された凜子は、一刻も早く家に帰ってぐっすり眠りたいたいと思った。今の今まで、車に乗せられ怖い思いをしたばかりなのに帰巣本能が勝って、ヒッチハイクしてでも帰る覚悟を決めた。

軽井沢方面から国道十八号線を、次第に明るさを増しながらこちらに近づいて来るヘッドライトが見えた。凜子はそれに向かって右手を挙げ、必死になって「止まって！」の合図を送った。

凜子は奇跡が起きたと思った。

目の前に止まった車は、先ほど部長のスピード違反を検挙した先ほどのパトカー。途中から引き返してきたという。

ヒッチハイクを手助けしてくれたおじさんと一緒に事情を説明すると、警察官は「ちょうど長野市に帰る途中」だと言って、思いがけないことを口にした。

「本来、パトカーは家まで送ることはないのですが、事情が事情ですから、今回は特別ですよ」

こうして凛子は、幸運に恵まれて無事に帰ることができた。

こんなことがあった後も凛子は、千代江の勤めるキャバレーに通い詰めていた。

ある日、相変わらずダンスに熱中していた凛子の目の前に、一人の男性が現れ「一曲踊っていただけますか?」と、手を差し出した。

瞬間、凛子は雷に打たれた。体中の血が逆流を始め、心臓が口から飛び出してしまいそうなほど高鳴る鼓動……。決して「雷に打たれた」は比喩などではなく、凛子は一瞬にしてその男性に心を奪われてしまった。

初めての経験に戸惑い、これが恋というものかしらと、身も心も浮遊する。

まるで映画スターのように整った顔立ち。ぱっちりした大きな目に届きそうな黒くて長い髪を額に垂らし、スーツをピシッと着こなす。ピカピカに磨かれた革靴を履き、洗練された身のこなしでダンスを踊る。

凛子は一点の非の打ち所もないこの男性にリードされ、また、ぴったりと歩調を合わせて何曲も踊った。

大満足だった。

ラスト曲が流れた、そのときに男性は「電話番号を教えてほしい」と言った。

「興味があるなら、自分で調べたら！」

凛子は心にもないことを、自分でも驚くほど高飛車に口走っていた。

後悔にも似た悶々とした凛子の気持ちを、かかってきた一本の電話が晴らしてくれた。

翌日、例の男性から連絡があったのだ。心のときめきをどうにも抑えられず、凛子は飛ぶようにして彼に会いに行った。

以来、どこへ行くにも一緒だった。

男性は右城俊といって、東京を本拠とする全国組織の暴力団組員だった。凛子は、今また性懲りもなくヤクザと関わりを持つことになってしまう。

「すぐにも別れなさい」

暴力団員との付き合いを知った母の吟は、烈火のごとく怒った。

しかし、別れられないと見切った母は、凛子を兵庫県尼崎市の知人宅に預ける手段に出た。これまでのように稲荷山の家でなかったのは、二人の間を裂くには地理的にあまりにも近すぎたからだ。

凛子は従った。

右城に夢中になる一方で、母の怒りはしごく当然と思った。自分でもどこかで「ヤクザとの付き合いは良くない」と考えていた。だからこそ、煮え切らない気持ちに踏ん切りをつける意味でも、尼崎行きを好機にしたかったのだ。

右城との決別を心の中で誓った凛子は、希望を抱いて新天地へ旅立つような気分で尼崎に向かっていた。凛子の横には母が一緒にいる。母との初めての二人旅に嬉しくて幼子のように浮かれていた。


尼崎市の知人宅は、阪急神戸本線塚口駅近くの住宅街にあり、生垣に囲まれた静かな佇まいを見せる二階建てのこじんまりした住宅だった。

母の知人で主婦の大沢楓子は、会社役員の夫に二人の娘と暮らしている。娘は二人とも宝塚歌劇団に所属していて、長女がプリマドンナを務める「加茂さくら」、次女も「加茂すみれ」という宝塚スターの姉妹だった。

したがって大沢家は､プリマドンナの発するソプラノの声とピアノの響きで朝を迎える。さくらのプリマドンナ衣装に、眼鏡を鼻までずり下げて朝から晩までスパンコールを縫い付けている楓子は、何事にもおっとりした仕草で、関西弁の家族の中でただ一人標準語をしゃべっていた。

凛子に対しても、眼鏡をずらした上目遣いで哲学めいたことを言う。

「朝方に目が覚めたら、もう眠りが足りたのだから、その時点で布団から出ればいいのよ」

とか、「テレビを見ていて嫌いな人が出ていても『嫌い』と言っては駄目よ。好きなそのときは大いに言いなさい」など、少し鼻にかかった声で口癖のように言う楓子のこうした何気ない言葉を、凛子は「なるほどなあ」と感心しながら聞く。

大沢楓子の家族は、戦中から戦後にかけて凛子の母吟の姉たつ江が嫁いでいる山岡肉店―「稲荷山の家」の隣に疎開していた。

そのころの吟は、生まれたばかりの凛子を連れて肉店を手伝っていた。そこで吟は、仕事が始まる時間になると店二階の窓から隣の家の二階に住む楓子に声を掛け、凛子を窓越しに手渡して子守を頼んでいた、そんな間柄だった。

世界の先進国に仲間入りしたとはいえ、まだまだ日本には「男子厨房に入るべからず」的な〝家長制〟がしぶとく残る当時にしては珍しく、大沢家の夕食は一家の主の仕事だった。会社の帰りには必ず総菜などの食材を買ってきて、着替えもそこそこで調理に取り掛かる。それも手早でおいしい。この間、主婦の楓子は何の手出しもせずに、ただ料理が食卓に並ぶのを待つ。

こうして、いつも絶えない笑みが囲む食卓に、凛子も加わっていた。

長野では右城が、姿を突然消した自分を血眼で捜しているだろう、と思いつつも凛子は、毎日が新鮮で刺激的な目先の生活を楽しむことで、右城を忘れようとしていた。

次女の宝塚スターのすみれ姉に凜子は大阪や神戸に連れて行ってもらい、また公演日には、化粧箱を手に姉妹にくっついて宝塚劇場の楽屋まで行った。

その楽屋で凜子は、まばゆいばかりのゴージャスな衣装の着付けや化粧を手伝う。それが終わると、舞台の袖からプリマドンナを演じるさくら姉の歌や踊りを心躍らせて観た。

神戸ではボーリングを初体験した。すみれ姉とそのボーイフレンド大村浩市に連れられて行き、手取り足取り教えられた凜子だが、助走からして歩幅が合わずに四苦八苦、当然ガターのオンパレード。そんな凜子を尻目にすみれ姉と大村の二人は、重いボールを投げた後に右手を振り上げるフォームを華麗に決めていた。

ショッピングに行くにしても、レストランで食事するにしても、洗練された姉妹のチョイスは常に一流を求めた。一緒の凜子は、その都度ワクワクすると同時に、そのたびに「私は田舎者だな」とつくづく感じた。

それでも凜子は、好奇心を満たしながら日々広がっていく自分の世界を満喫していたが、こうした尼崎での生活は、三か月ほどで終止符が打たれる。

「そろそろ戻って、家の手伝いをしなさい」

こう言って、かかってきた母からの電話──凜子は長野に帰ることになった。

長野に戻ってしばらくすると凜子は、右城俊の「兄弟分」という男から呼び出された。その男は「右城に会ってもらえないだろうか」と言った。

話を聞くと、右城は繁華街で喧嘩をして警察に捕まってしまい、凜子に会いたがっているらしい。だが、そもそも凜子は、ヤクザの右城と別れるために尼崎に〝逃避〟していた。そこで自分の気持ちにケジメをつけたつもりだった。

しかし今、留置場の中で寂しがっている姿を思い浮かべると、凜子は矢も楯もたまらず、兄弟分と共に警察署へと向かった。

凜子にとって、右城への思いを断ち切るための三か月という時間はあまりに短すぎた。警察署での面会は叶わなかった。ただ差し入れの品を渡しただけだったが、そこで初めて右城が、凜子より七歳年上だということを知った。

その後、拘置所に移されたと聞いた凜子は、例の兄弟分と面会に行った。久しぶりに会う右城は、依然より顔が少しふっくらとして艶も良く、拘置所の規則正しい生活で健康的になったように見えた。

以来、凜子の拘置所通いが続くことになる。右城が望む小説や食べ物を差し入れるために毎日、面会に出向いた。

拘置所は凜子の住む家から歩いて行ける距離にある。その途中に平屋で軒の低い一軒家がひっそりと建っている。何となく薄暗い感じがする玄関のガラス戸に「差入屋」と書かれた古びた和紙が、看板代わりに貼り付けられていた。

病院の周辺には、見舞客を当て込んだ花屋をはじめ果物店やケーキ店などがあるのと同じように、差入屋も留置所近くにある。面会人目当てに差し入れ用の文具や雑誌、食品などを揃えているほか、注文を受けて差し入れの品を拘置所に届けてもくれる。

しかし決定的に違うのは、施設に入っている人間が「疑い」も含めて一般的に刑事事件の〝犯罪者〟であるということだ。

和紙に書かれた「差入屋」の文字を力なく見やり、肩身の狭い思いで建付けの悪い引き戸を開ける凛子も、世間体を気にした。

悪事を働いた人間と付き合っている姿を誰かに見られたら、世間に顔向けできない、と後ろめたい感情に支配されながら、それでもなおかつ人目をはばかる愚かな行為を重ねる自分を、身をよじるほど恥じている。

凛子は間違った道を歩んでいることを自覚しているし、どうにかしなければいけないことにも心を砕いていた。

一方で母の吟は、以前から陣屋に入り浸り、家族同然に振舞っている中本将士と凛子の結婚話を、またぞろ夫の雑賀と一緒になって本気で勧めるようになった。

商売、商売に明け暮れる吟が、毎年必ず計画する年に一度の恒例行事がある。夏休みに家族そろって出掛ける〝三泊四日、野尻湖の旅〟。前の晩、吟は、白地に黒で描かれた花模様の生地を目分量でちゃちゃっと裁断し、ミシンの音を小気味よく響かせて姉妹のスカートと弟の半ズボンを、朝までに縫い上げる。凛子たち三人きょうだいは、吟が徹夜で仕上げたお揃いの洋服を着て、いそいそと野尻湖畔の旅館へと出掛けるのだった。

こうして凛子が一年のうちで一番楽しく「家族」を感じ、小さいころから最も大事にしている野尻湖の旅に、あの中本が家族の一員のような顔をして付いて来た。

吟と雑賀のはかりごとであることは見え透いている。その意を酌んだ中本は中本で、すっかりその気になって何かと話し掛けてきていたが、そのうちチャンスを見計らったように、凛子に告白した。

右城とよりを戻すことばかり考えている今の凛子に、他の男など目に入るはずもなかった。

何としても右城との付き合いを続けたい凛子は、ある手段に打って出る。それはイチかバチかの賭のようなものだった。

拘置所で向かい合った右城を真正面から見据えた凛子は、内に秘めた覚悟をぶつけた。

「ヤクザを辞めてほしい。辞めることはできるの？　もし、辞めないなら、私はあなたと別れます」

面会のたびに、同じ言葉を繰り返して決断を迫った。

そして、ついに右城は首を縦に振った。ヤクザを捨てる決心をしたのだ。

凛子は嬉しかった。真心が届いたことを喜んだ。だが凛子には、一時の幸せに酔っている暇はなかった。そう、右城の気が変わらないうちに、勾留されている間に、しておくことがあった。

凛子は、右城が所属する暴力団の長野県支部の事務所に単身乗り込んで、支部長と直談判した。

「右城を退会させてください」

単刀直入に申し入れた凛子に、支部長は現金三〇万円を要求。「その金を払えば、堅気になるのを認めてやる」と約束した。

凛子は早速、東京で働いて貯めたお金をすっかりはたいて支部長に払った。

右城のために、ここまでする娘の凛子を見た吟は、諦めたように「本当に真面目に働くのなら、二人の仲を認めよう」と渋々言った。

しばらくして、右城は「不起訴」になった。

拘置所を出て、暴力団から抜け、文字通り晴れて自由の身になった右城は、堅気になった証に「割烹陣屋」を手伝った。その働く姿に吟も折れて、少しは右城を気に入るようになっていた。

そんな折、後に凛子が「あれが人生のターニングポイントだった」と振り返る時を迎える。同じ時間の流れの中で同じ接客という「水商売」をするなら、いっそのこと日本で一番の舞台—東京・銀座で一流の仕事をしてみたい。

水商売が天職かもしれない、と感じ始めていた凛子は、その「天職」に導かれるように「もう一度、東京に行かせてほしい」と母に願い出た。「彼の仲間がいない所に行きたいし、私も銀座で仕事をしたいの」。

それには条件があるよ、と母の吟は言った。

「じゃあ、一年という期限付きなら認めてもいいよ」

そして、こう付け加えた。

「二人で一生懸命に働いて、別れないでいたら……結婚を許してあげる」

凛子が、一番欲しかった言葉だった。

第五章　銀座に咲く赤い花

東京・新宿区四谷三丁目の交差点近くに消防署がある。そこの路地を入ってすぐの所に建つ洒落た洋風建築、その建物の二階が凛子と右城の新居だ。2DKでバス、トイレが付いて家賃が三万円と、当時としては東京でもハイクラスの住まいといえた。

住居を定めた二人が次にすることは決まっていた。職探しだ。

求職活動を始めてすぐに、右城は新小岩の「コンパ」で働き口を見つけた。一方で凛子は難航していた。そもそも凛子は「銀座」で働きたくて上京した。しかし、新聞の求人欄を隅から隅まで目を皿のようにして探しても、銀座の店は載っていなかったのだ。

このため凛子は仕方なく、求人欄にあった神楽坂の「軽い心」というキャバレーに面接に行き、翌日から店に出た。

神楽坂という地名の通り坂道の途中にあるその店は、入り口を色とりどりのネオンで施し派手に点滅を繰り返している。この日から凛子が勤めるキャバレーだ。

華やかな外観や店内とはほど遠い舞台裏の薄暗い通路を、凛子は支配人に案内されて更衣室にたどり着く。狭苦しい部屋に入ると、汗蒸した臭いが鼻を衝いた。

「この中から、好きなドレスを選んで」

支配人に促された凛子は、ハンガーに何枚も吊るされている中から、薄っぺらなピンクのドレスを選んで着た。それを見届けた支配人は「店での名前をどうする?」と聞いてきた。

「エリカ」

凛子は間を置かず、頭に浮かんだままの名前を答えた。

エリカは、家出して東京に来た凛子が、タクシー運転手の紹介で初めて働いたカウンターバーで使った名前、それを咄嗟に思い出したのだ。

「103番　エリカ」の名札を左胸に、凛子はデビューした。

キャバレー独自の場内指名というシステムに導かれ、初日から引っ張りだこだった。指名が次から次へと入り、生バンドの演奏が店いっぱいに鳴り響く中、あちらの席からこちらの席へと飛び回った。

そして、半月足らずで五、六〇人はいるホステスの中で、その月の「指名ナンバーワン」に躍り出た。

それでも、勝負する舞台を銀座と決めている凛子の思いに変わりはなく、テーブルに着くたびに、「銀座に知っているお店はありませんか?」と、片っ端から客に尋ねまくった。

そのころの右城も、凛子の心配をよそに「思っていた以上」の頑張りを見せて働いていた。まともに働いたこともなかっただけに、立ち通しの仕事で足にマメを作りながらも「大丈夫だよ」と言って、コンパでのその日の出来事を楽しく話してくれた。

休日には、二人で近くのスーパーに買い物に行く。その帰り道、大きな買い物袋を持つ右城の腕に絡み付く凛子は、明るい日差しの中を心弾ませて笑い合いながら、ぶらぶら歩いて帰るのが好きだった。

そんな何の変哲もない日常が幸せで、凛子にはたまらなく愛しかった。

あるとき右城から、凛子は突然「新宿のファッション店に行こう」と誘われた。「ワンピースを買ってあげる」と右城は言い、「どちらにしようかしら」と品定めに迷う凛子に、「両方買えよ」と気前良く言って、喜ばせてもくれた。

こうした右城との幸せぶりを見せびらかせたくて、凛子は小松美恵子や今朝美を新居に招いたりしていたが、そのうちに今朝実は、凛子と「一緒に働きたい」と言い出して同じキャバレーに勤め始める。

凛子が「キャバレー軽い心」に勤め始めて二か月が過ぎ、しばらく経ったある日、店から一〇〇メートルほどの所にある「キャバレームーンライト」オーナーの岡本浩が、凛子の評判を聞きつけて来店した。

岡本は、まだ二十代の若さでキャバレーを経営するやり手だが、物腰が柔らかくて優しい話し方で、初めて会ったときから凛子は「若いのにすごい人だな」と感心した。

その岡本からスカウトされた。しかし、その誘いに凛子はこう答えた。

「私は、何としても銀座で働きたいと思っていますが、ツテがなくて立ち止まっている状態ですので、今は他の店に移る気持ちはありません」

断られた岡本は、そう簡単には引き下がらなかった。これ以降も諦めずに何度も凛子を呼び出しては口説き続ける。

「銀座に勤めたって、それはそれで大変で絶対に勤まらないと思うよ。知り合いの娘も何人か銀座に行ったが、結局みんなダメになっている。それよりもエリカさんを誰よりも優遇するから、ぜひ、ウチの店に来なさいよ」

好条件で根気よく誘い続けてくれる岡本に、こんなことを聞けた義理ではないことは百も承知の凛子だったが、あるとき「社長さんは、どこか銀座のお店を知りませんか?」。何かの弾みというか〝潜在意識〟がポロっと口から出てしまった。

すると「一軒だけ心当たりがあるよ」と、ためらうことなく答えた岡本は、後日、銀座八丁目にある「クラブ衣笠」という店に、凛子を連れて行ってくれた。

運命のいたずらとも思えるような幸運は、こうして凛子のもとに訪れる。

岡本浩は、囲炉裏風の炉で炭焼きした野菜や肉、魚介類などを柄の長いしゃもじ(へら)に乗せて客に渡すという、あの炉端焼き民芸居酒屋―ちなみに、令和元年にアメリカのトランプ大統領夫妻と安倍晋三首相夫妻が食事した―を、東京でいち早く開業して全国的ブームをけん引したほか、ニューハーフだけのショーパブ「ピープル」という大流行店も展開した。

鋭い先見性と経営センスを持ち合わせた岡本は、他分野への事業進出を積極的に展開する一方で、女優と結婚するなど公私にわたり話題に事欠かなかった。

その岡本が与えてくれた唯一無二の機会を絶対に手放してはいけない、と凛子は心に誓った。ようやくつかんだ〝希望の糸〟だから……。

日給五〇〇〇円の「ヘルプ」として、「クラブ衣笠」に勤め始めた。

憧れた銀座での源氏名を、右城の本姓から取って「日向千恵」と名乗る凛子、二十一歳の年だった。

やっとたどり着いた銀座―。

銀座では、一般に「キャバレー」と呼ばれていた店は、「クラブ」と称するところから違っていた。

この業界には、銀座ならではの〝文化〟が他にも多くある。

胸に名札を付けた薄い生地のドレスを着る神楽坂のキャバレーとは一線を画す。銀座のクラブでは高級な着物とか、デパートのマネキンが着ているような軽やかなワンピース、カチッとしたスーツなどを、まるで良家の若奥様かお嬢様のように上品に着こなす。

化粧もまた違う。これまでのようにベタベタ塗りたくるのではなく、薄塗りなのに個性を際立たせる。マジックのようなそのテクニックに感心した凛子は、真っ先に化粧の仕方から勉強を始めた。

「クラブ衣笠」は地下にあって、客席が八席と規模的にはさほど大きくはない。そこに二〇人ほどのホステスが勤めている。

ママは衣笠というオーナーで、赤坂に料亭も持っていた。

ヘルプの凛子は、売上係のお姉さんホステスに「千恵ちゃん、このお席手伝ってね」と呼ばれて接客する。美人で気働きができる凛子は、日が経つにつれて徐々にヘルプする席が増え、顔なじみの客もできてきた。

凛子にとって、張り合いのある楽しい仕事になっていた。

ところが、ある日、華やかに見える銀座のホステスの厳しい裏の現実を、凛子は目の当たりにする。

店の更衣室で、突然、自分の客を持つ売上制ホステスと固定の客を持たないヘルプのホステスがつかみ合いの喧嘩を始めた。セット仕立ての髪がぐちゃぐちゃになり、着物の脇口は縫い糸がほつれ、裾は襦袢をはだけさせて大腿もあらわに、それはすさまじい光景だった。

喧嘩の原因は自分の客を取った、取られたという、言ってみればありがちな話で、凛子は単純に売り上げに影響するからなのかしらと思った。

だが、他のホステスから客を「取った」からといっても、「奪った」ホステスの成績にはならないのだという。もともとヘルプで売り上げに関係のない凛子だが、支配人は「これが銀座ルール」だと教えてくれた。

では、どうして客の取り合いで喧嘩になるのか不思議だったが、凛子なりに出した答えは「女同士の嫉妬心の果てだろう……」だった。

凛子は、あるときから衣笠ママに頼まれて、夕方の早い時間から赤坂の料亭でもたびたび接客するようになる。長野の実家も料理屋だから勉強になると考えて、喜んで引き受けた。もちろん、銀座での本業も毎日が楽しくて仕方なかった。

そのころからだった、右城の言動に少しずつ変化が見られるようになったのは。

新小岩の「コンパ」で、その働きぶりが認められた右城は、短期間のうちに店の支配人を任されるまでになっていて、凛子はいつも「一緒に頑張ろうね」と声を掛けていた。

深夜営業のコンパだけに、支配人になってからの右城の出勤時間はこれまで以上に遅くなり、凛子の出勤時間に家にいることが多くなった。と、同時に右城の口数が次第に減り、不機嫌な日が目立つようになっていた。

あるとき、凛子が店に着くなり右城から電話がかかってきて、具合が悪いから家に戻って来てほしい、と言う。

タクシーを飛ばして帰ってみると、普段と大して変わりない右城がそこにいた。仮病だったのだ。凛子は、子どもをなだめすかすように説得してから店に取って返した。

こうしたことが毎晩のように繰り返される中で右城は、こんなことを言うようになる。

「自分も一生懸命に働いて給料も上がったから、もう仕事を辞めて専業主婦になってくれないか」

右城の考えていたことがようやく分かった。だから機嫌が悪くなり、仮病というウソまでつくようになったのだ。凛子は合点がいった。

しかし凛子には「仕事を辞めろ」と言われても、「はい、分かりました」などと従う気にはなれない。仕事の楽しさ、面白さを覚えてしまった今となっては、なおさらだった。

二人の間が段々とぎくしゃくし始めたそんなある深夜のこと、ふと目覚めた凛子は異臭に気付いた。ガスの臭いだとすぐに分かって起きようとしたが、重石を乗せられたように体が動かない。

右城が覆いかぶさっていた。

「仕事を辞めてくれないなら、一緒に死のう」。うつろな目で言った。

ナイフを持った右城は、押さえつけた凛子の左手首に切りつけた。恐怖の反動で思いっ切り跳ね起きた凛子は、ガス栓を閉めてから急いで窓を開ける。

慌てふためく凛子を見据えながら右城は、さらに決断を迫った。

「仕事を取るか、俺を取るか、決めてくれ」

右城のことは大好きだ。だけど、大好きな仕事も諦めることができない。

凛子は頼んだ。

「何とか、仕事を続けさせて！　仕事するのを認めてよ」

「どうしても仕事をすると言うなら、別れる」

「どちらかを選ぶなんて、私にはできない」

堂々巡り、この〝蟻地獄〟から二人が逃れる道は、「凛子の決断」しかなかった。冷静さを取り戻した凛子は、考え方を変えて客観的に見ようとした。

どちらかを取るのではなく、どちらを失ったときに後悔が大きいか——。

すると不思議なことに、どちらに振れることもなかった〝心の秤〟が、自然に動き始めた。

「今、仕事を失ったら、私は、一生後悔するだろう」

そして「どんなに好きでも、ガス心中を図ろうとする人とは一緒に住むことは、もうできない」と凛子は、本心の在り処に行き着いた。

二人は別れることを決めた。

右城は、二人の貯金の全額二五万円を持って出て行き、現在のアパートには凛子が引き続き住むことで、円満に話はついた。

これまでの経緯からすれば、考えられないほどすんなりとした別れだった。

だが意外なことに、別れた後の寂しさに襲われた凛子は、否応なく右城の存在の大きさを思い知らされるのだが、「未練」だの「感傷」だのと言っている間もなく、凛子の帰宅を待っていたかのように、右城からの電話が決まってかかってきた。

「お帰り。きょうは早かったね」、「遅かったけど、どこに行っていたのかな?」などと、まるで毎晩見張っているかのようだった。

凛子は日を追うごとに、束縛されている不自由さを強く感じるようになり、右城は恐れていたことを口にしだした。

「よりを戻そう」。言外に右城の脅しめいた口調が戻っていた。

「もう、その気はないわ」と凛子は、気圧されながらもきっぱりと断った。

堅気になったとはいえ、感情的になるとやはり〝ヤクザ〟の本性を現す右城に、凛子は恐怖感を覚えた。毛布で電話機をグルグル巻きして押し入れに突っ込むなど、すっかりノイローゼになっていた。

困り果てた凛子は、銀座への道を切り開いてくれた岡本社長に相談した。岡本は早速、自分の友人が経営する九段の「フェアモントホテル」にシングルの部屋を取り、しばらくの間凛子をかくまってくれることになった。

店が休みのある夜、凛子は岡本社長から夕食に誘われた。レストランで食事を済ませて、いい雰囲気のまま一緒に帰る途中でのこと。岡本が凛子の肩に腕を回そうとしたそのとき、何かの拍子で自分の肩を脱臼してしまったのだ。

見る見るうちに顔から血の気が引き、額から玉の汗を噴き出させて激痛に顔を歪ませる岡本。凛子は介抱しながら赤坂にある岡本かかりつけの前田病院に担ぎ込んだ。

以前から肩に脱臼癖があったという岡本だが、冗談のような、笑い話のような、何とも格好の悪い出来事もあったりして、凛子と岡本の間に男女関係は育たなかった。

それでもこの一件を境に、岡本は凛子の「一生の友」となったのだ。

ひと月ほどのホテル滞在を終えて家に戻った後で分かったことだが、右城は凛子のアパートの部屋がよく見える建物に引っ越しており、毎晩凛子の様子を窺っていたという。

それもこれもあってストレスが高じた凛子は、体調を崩し頭痛、吐き気、腹痛などの症状を抱えて寝込んでしまう。一か月も床を離れることができずに仕事を休んだことで、凛子は経済的に追い詰められた。

右城と別れた際に貯金の全てを叩いて渡してしまった今、凛子の貯蓄は底をついていた。寝ているだけでも一日一〇〇〇円が家賃に消えていく。

凛子の部屋に、長野から駆け付けた母の吟と稲荷山のたつ江伯母、二人の顔があった。働けずに生活費も心細くなった凛子が、電話で一部始終を話して「お金を貸してほしい」と頼んだのだ。優しい伯母は「誰も知り合いのいない東京で一人っきりで、寂しいねぇ。早く良くなりなさいね」と言って、見舞金として三万円を凛子の手に握らせてくれた。

しかし、母からは娘を気遣う言葉ひとつなく、帰りがけに凛子が寝ている枕の下にお金を差し込み、「来月、返しなさいよね」と言い残して、その日のうちにそそくさと帰ってしまった。

母が帰った後に枕の下を確認した。そこに見たのは、くしゃくしゃに丸められた一万円札一枚のみ。しかも病床の娘に「来月、返せ」と念を押した額が、これだった。

凛子は唖然としてしまった。家賃だけでも三万円はかかると言っておいたはずなのに、一万円でどうしろというのか、と無性に腹が立ったし、がっかりもした。

しかし、当時の万単位のお金は、一万円であっても決して少ない額ではなかった。それも三万円ともなれば、なおさらだ。

こうして考えた場合、母の一万円にしても無理からぬことだと思い直したが、その半面で凜子は、伯母連れで来たことに母の姑息な思惑を感じ取っていた。

ことのほか凜子をかわいがり、裕福に加えて根っからの心配性の伯母ならば、きっと家賃ぐらいの金額は包むだろうと、母は見透かしていたに違いないのだ。凜子の心は再び侘しさで細った。

数日後、凜子が以前キャバレーで一緒に働いていた今朝美が、男性を伴って何の前触れもなく訪ねてきた。

「凜子ちゃんが病気だと言ったら、ぜひお見舞いさせてほしいと言うので、連れて来ちゃった」

男性は、大手出版会社の副社長で、キャバレーにいたころ凜子をよく指名してくれたが、店以外で会ったことはなかった。背が低く丸顔でいかにも柔和な人柄を感じさせる副社長は、見舞い袋をさりげなく布団の下に置いて帰った。

凜子は驚いた。その分厚い袋には三〇万円の現金が入っていたのだ。捨てる神あれば拾う神あり―凛子は、窮地を救われた思いで本当にありがたかった。と同時に、今朝美には迷惑のかけられ通しだっただけに「たまには良いこともしてくれるなあ」と、このときばかりは感謝した。

凛子は仕事に復帰した。休日には例によって今朝美、小松美恵子と三人で新宿に繰り出すことが多かった。

若くてきれいな三人組は、新宿でもひときわ人目を惹いた。見るからにガラの悪そうな男たちに、からかわれたり冷やかし半分で声を掛けられたりした。

中でも、身長一六二センチ、体重五一キログラム。小顔にしては恥ずかしいほど大きなバストにプリっと張りのあるヒップ―抜群のスタイルを誇る凛子は、複数のモデル会社から何度もスカウトされた。

一時、凛子自身もモデルスクールに通った。ウォーキングや撮影時の表情づくりなど一通り学んで、いよいよ仕事をもらえる段になった。

そうなると、これまで見えなかった業界の裏の顔が見えてくる。パトロンのような男や仕事関係の男たちが、あからさまに関係を求めてきた。こうしたモデル業界に嫌気が差した凛子は、さっさと辞めてしまった。

街で簡単に声を掛けられたり、近寄って来られたりするのは、きっと自分に隙があるからだ――。こう反省した凛子は、名前のように「凛」として気品が漂う女性を目指して、常に立ち居振る舞いを意識するようになった。

このころになると、右城からの〝監視電話〟はすっかり減って、一時のヤクザっぽい言葉も姿を消した。たまの電話でも、互いに近況を報告し合うようになっていた。

四谷のアパートからそう遠くない所に、日活の大型新人スター、田島青砥の姉が営むスナックが開店したと聞いて、凛子は美恵子と一緒に行った。

白壁にグリーンの窓枠と屋根、窓に掛けられた繊細なレースのカーテンが、外国のかわいらしい店の雰囲気を演出していた。店内にはカウンターとテーブル席があり、カウンター内では青砥の姉らしい人がニコニコと愛嬌を振りまき、壁には弟である新人スターのポートレートが何枚も飾られていた。

テーブル席に座った二人は、何だか落ち着かない様子で店内を物珍し気に見回していたが、しばらくすると玄関ドアが開いて颯爽と入って来るスターを視線の先にとらえた。

二人の目が点になった。

「本当に『田島青砥』のお姉さんの店だったんだね。ホンモノが見られて良かったね」

興奮している二人に、青砥がほほ笑みながら話し掛けてきた。

凛子にとって間近で見るスターは眩しい。

「この店の近くに住んでいるの？」

心臓は早鐘を打つ。

「え～えぇ」。しどろもどろの凛子に「今日は仕事が終わってフリーだから、今から僕の車でドライブに行かない？」と、スターの思いもよらない誘いの言葉がかぶさる。

「凛子、行ってらっしゃいよ」と美恵子も悪乗りしてはやし立て、催眠術にかけられたように凛子は一も二もなくコックリとうなずいていた。

時間は午後九時を回っている。淡いブルーの大型乗用車の助手席には凛子、その隣には惚れ惚れする横顔を見せて運転席に座る田島青砥。うっとりする凛子を乗せて車は滑るように走り出した。どこに向かって走っているのか知らないし、また気にもならなかった。

だが、そんな凛子の夢見心地は長くは続かなかった。

運転慣れしたようにハンドルを片手でグルグル回し、星空の都会を突っ走る青砥の左手が伸びてきて凛子の右手をつかんだ。と、思ったら、つかんだ凛子の右手を、いつの間にかズボンのファスナーを下ろした自分の股間へと誘導したのだ。

凛子は反射的に手を引っ込め、無言で抵抗の意志を示す。青砥もまた一言も発することなく、真っすぐ前を見たまま再び同じ行為を強要する。

こうした〝沈黙の攻防〟が、車中で何度か繰り返された。

必死に抵抗する凛子は、車がちょうど減速した瞬間を見計らってドアを開け路上に転がり出た。青砥が運転する車は、止まる様子も見せず何事もなかったように走り去って行った。

そこは曙橋の高架上だった。スピードが落ちたとはいえ走る車から飛び降りたわけだが、幸い擦り傷程度で済み、大ごとにはならなかった。

しかし道路に転がった凛子は、捨て猫のような惨めな気持ちに打ちひしがれた。よろよろと立ち上がり、真夜中の外苑東道路をたった一人歩いて帰った。

情けない気持ちを引きずりながら、今夜の出来事が凛子の脳裏に去来する。

大型新人スターともてはやされている田島青砥とは、あのような破廉恥な人間だったのか。きっと、他の若い女性ファンにも同じことをしているに決まっている。

考えただけで虫唾が走るほど嫌いになった。

だが皮肉にも、凛子がどれほど軽蔑しようが、その後の田島青砥はスター街道をまっしぐらに進んで行く。世の中の理不尽さに凛子は、臍を噛む思いだった。

肌寒い小雨まじりの日、凛子は米軍立川キャンプのゴルフ場のグリーンに出ていた。勤めているクラブの衣笠ママに「お客様との付き合いだから」と言われて、早朝から引っ張り出されたのだ。

とはいっても、これまでゴルフとはまったく無縁の凛子に、ママはいきなりクラブを握らせて「白い球を打ちなさい」と言った。この乱暴な言いつけに、凛子は何とかボールを転がしていた。

しかし平らな芝生の上を延々と歩き、ボールを穴に入れては、次のホールに移って、また最初からクラブを振って……と、同じことを繰り返しながらやっと終わったと思ったら、まだ「ハーフ」だと言う。ルールも何も知らない凛子は、あと9ホールも残っていると聞かされ、これが延々続くのか、とうんざりした。

イヤ、イヤのプレーを途中でリタイアした凛子は、暗く厚く垂れこめる雲の下を迷いながら一人クラブハウスに戻った。

これが凛子の散々なゴルフデビューだったが、大手自動車メーカーの部長から「ベン・ホーガン」のゴルフクラブをプレゼントされ、日曜日には部長のコーチで打ちっ放しのゴルフ練習場に通った。

「クラブ衣笠」に勤めて半年、ヘルプの凛子は相変わらず引っ張りだこで席から席へと忙しかった。日給は五〇〇〇円から八〇〇〇円にアップし、月給に換算してもサラリーマンの初任給の五､六倍は稼いだ。

それでも大半は、衣装代へと消えていってしまう。クラブの更衣室にはしょっちゅう呉服屋や洋服の仕立屋が出入りしていた。

洋服の凛子は、巣鴨から来ている仕立屋の三原八重子と親しくなった。凛子とすごくウマが合った彼女は、専属デザイナーのような立場でプライベートでも長い付き合いとなる。

右城と別れ、一時は蓄えがなくなった凛子の貯金通帳に一〇〇万円という数字が刻まれるようになり、初めて定期預金をした。

嬉しくて母の吟に電話で報告した、その翌朝のことだった。長野から吟が凛子のアパートを突然訪ねてきた。

「一年で返すから、一〇〇万円を貸して」と言う。

「何があったの?」。凛子は驚いて尋ねると、夫の雑賀正と別れるに当たってお金が必要になった、というのだ。

吟の話では、離婚は雑賀の浮気が原因で、しかも相手の女性との間には子どもまでいた。雑賀は、これまで「割烹陣屋」で働いてきた分の金が欲しいと要求したそうだ。

当然、支払う筋合いはないと渋る吟に、雑賀は「二重帳簿」を持ち出して、税務署に駆け込むとか駆け込んだとか言って、脅しをかけているのだという。

「とにかく今は、お金のやり繰りで店が大変なことになっているんだよ」と早口で話した吟は、深くため息をついた。

母が困っている、何とかしなくちゃ！　思い立つと凛子は見境がなくなる。すぐさま銀行に走り、定期預金にしたばかりの一〇〇万円を解約して吟に渡した。

「ありがとう」の一言を残して吟は、アパートにも戻らずその足で長野に帰ってしまった。凛子は、もっと母と一緒にいたかったが、一〇〇万円さえ受け取れば用はないとばかりの態度に、一抹の寂しさを覚えた。それでも凛子は、「母には今夜も仕事がある。今の時間に帰らなければ、店に間に合わないのだから無理もない」と好意的に考えることで、いつものように自分を慰めた。

それにしても、雑賀のことはショックだった。凛子がまだ「陣屋」を手伝っていたとき、思わぬ場所で車を運転する雑賀を見て「こんな所で何をしているのかしら」と、訝しく思ったことがあった。妙な違和感にとらわれたことを思い出して、「やっぱり、あのとき……」と納得した。

かと、思えば、また逆な記憶が蘇ってくる。母に叩かれて泣いている凛子を、雑賀はこう諭したことがあった。

「お母さんのことを、きついと思うかもしれないが、子どもたち三人を育てるため必死に頑張って生きているのだから、お母さんのことを悪く思っちゃいけないよ」

あんなに母のことをかばい慕っていたのに……。凛子は、月日の流れの残酷さを感じていた。

「そういえば……」。凛子は子どものころを回想する。

母はよく凛子に手を上げた。凛子はそれを、どこの家でも同じだと思い込んでいた。私が長女だから妹や弟より「多くやられる」のは当たり前だと考えていたから、母に対する恨みはまったくなかった。それより「私は、母に好かれたい」と思う気持ちが何倍も、いや何十、何百倍も強かった。

だから今回、母の役に立てたことが凛子にはとても嬉しかったのだ。

母の吟は、美人で頭の回転が人一倍速く、負けず嫌いで商売が何より好きだ。家には人の出入りが絶えず、吟と話したことのある人は、その説得力に必ず引き込まれる。

また半面、おだてに弱くすぐに親分肌を発揮してしまうのだが、ある意味とても頼もしい存在でもあった。

そして何よりも凛子の尊敬するところが、女手ひとつで「割烹陣屋」をここまで大きくしたこと。さらに中園吟という一人の女性として、常に魅力を放ち続けた〝男性遍歴〟の数々……それもまた素晴らしい、と凛子は思う。

「クラブ衣笠」に勤めて八か月、凛子目当ての顔なじみ客が増え、そろそろ独り立ちして「売り上げ」を持ちたいと思うようになっていた。売り上げを持つということは、今の「クラブ衣笠」を辞めなければならない、ということになるのだが、タイミングよく「クラブフェニックス」の田山支配人からスカウトの声が掛かった。

提示された条件は、凛子が望むように売り上げを持つ場合、売上契約金と日給一万二〇〇〇円を保証し、加えて売り上げに応じた指名料および売上歩合が付く。

売上契約には「年間契約」と「売切り契約」があった。

例えば、契約金三〇万円で「年間契約」した場合、売上金から指名料、サービス料、税金を除いた年間の純売上額三六〇万円を、年の途中で超えても一年間経たないと契約金アップの再契約はできない。これに対して「売切り契約」では、年間分の純売上額三六〇万円を達成した時点で、一年待つことなく契約金アップの再契約ができる。

こうした仕組みを支配人から説明された凛子だったが、初めて自分の客を呼ぶことになるだけに、果たして月にどれだけ売り上げられるのか、まったく見当もつかなかった。それでも凛子は、とりあえず三〇万円の売切り契約でフェニックスへ移ることを決めた。

「長い間、大変お世話になりました。私もこの辺りで独り立ちしたいので、お店を移ろうと思っています」

凛子は、衣笠ママにきちんと挨拶し礼を尽くした。その上で、お姉さんホステスたちそれぞれには挨拶を兼ねて、絶対に欠かせないお願いをして回った。

「お姉さんのお席でヘルプさせていただきました○○さまを、私のお客様として新しいお店にお連れくださいませんか？」

凛子の銀座でのこれからを左右する上で、とても大切な〝仁義〟だった。

銀座並木通りの夕暮れ時は、一日の拘束から解き放たれてどこか浮ついた空気感をまとった人たちで、賑やかさを増していく。こうした人混みに埋もれることなく、一種独特の華やかな雰囲気を醸しながら出勤するクラブのホステスたちの姿が目立ち始める。

その中に凛子の姿もあった。

気持ちを引き締めるように帯で仕立て上がりの着物をぎゅっと締め、颯爽と裾をさばきながら新たな勤め先「クラブフェニックス」へと歩を進めている。ヘルプを卒業して自分の客を持ち、自分の責任で集金して店に納める、いわゆる売り上げを持つ一人前の銀座のホステスになった。

そんな凛子の自負を、頬に感じる心地良い夕風がそっと後押しする。

初日から凛子は、店中を飛び回るほどの忙しさだった。「クラブ衣笠」のお姉さんたちが、お願いしてあった客をそれぞれ連れて来てくれたのだ。

後日、今度は凛子が銀座の「しきたり」に従って、お姉さんたちの所に自分の客を連れて行った。お姉さんたちにとって、新しい客を紹介されたことになるわけで、これによって貸し借りはなくなり義理を果たしたことになる。

売り上げの成績を上げるために凛子は懸命に努力した。これまでの名刺を全て整理した上で、神楽坂時代の客にも漏れなく便りを出して連絡を取った。一人でも多く店に来てほしかったし、またそうなるように必死で頑張った。

とにかく夢中で働いて一か月が経ったある日、ママに呼ばれた凛子は「ありがとう」の言葉に添えて、ママから綸子（りんず）の反物をプレゼントされた。

怪訝（けげん）そうな凛子の顔を見てママは「『フェニックス』は売り上げが伸びなくて、閉店しようかどうか迷っていたけれど、千恵（凛子の源氏名）ちゃんが来てくれたお陰で、何とか持ちこたえられたのよ」と、プレゼントの理由を説明した。

凛子はママから感謝されるように、自分でも思った以上に大勢の客を呼ぶことができていた。そんな毎日が楽しく充実していた。

結果、契約の年間売上額の三六〇〇万円をわずか二か月で売切ってしまった。

凛子は勇躍して田山支配人に「売切り契約」の再契約を申し入れた。ところが、支配人の口から出た言葉は耳を疑うものだった。

「千恵ちゃんとは『年間契約』だったから、このまま後一〇か月働いてもらわないと、再契約金は上げられないよ」

「うそっ⁉　売切り契約のはずよ！」

唖然とする凛子は、反論し、抗議し、必死に食い下がった。

一向に埒が明かないことから凛子は、自分を高く評価してくれているママに相談した。しかしママは、ほとんど自分の客を持っていない弱みがあり、支配人の言いなりで何の影響力もなかった。

考えてみれば契約はそもそも口約束だ。自分の迂闊さを悔やみ反省するしかない立場にあったとしても、凛子は、田山支配人の卑劣さを絶対に許すことはできなかった。

勤め始めてわずか二か月半、凛子はあっさり「フェニックス」を辞めた。

怒りに任せて辞めてはみたものの次に当てがあるわけでもなく、しばらくは無職で過ごす羽目になった。

いつものように何をするでもなく、家でぶらぶらしていたある日。「クラブ衣笠」でヘルプしていたころからの客で、当時流行し始めたマンション建設などを手掛ける鉄工会社の赤石克也社長から呼び出された。

赤石は、凛子にとってこれまで売り上げに貢献してくれた大切な客の一人だ。話をするときにも遠慮がちに口を開く、物静かで朴訥（ぼくとつ）とした人柄で、決してあか抜けているとは言えなかった。

待ち合わせた喫茶店に凛子が着いたときには、すでに赤石は来ていた。

カニのように右へ左へとせわしく動くマスターとカウンターを挟んで座っている赤石に並んで、凛子はちょっと高めの椅子に腰を掛けた。

カウンター内から差し出されたコーヒーに口を付けた凛子に、赤石は例によって朴訥とした口調で言った。ボソッと、世間話でもするように……

「千恵ちゃん、私と結婚してくれないか」

凛子は訳もなく焦った。

こんな所でサラッと話すことではないでしょう、と思い、マスターの方にチラリと視線を投げた。今の話が聞こえたかどうか探ったものの、マスターの表情からは何も読み取れなかった。が、凛子はテーブル席に移るよう赤石を促した。

確か、赤石は妻をだいぶ前に胃がんで亡くしていて独身だが、子どもが二人いるはずだ。

それはそれで一向に構わないし、また気にしたこともない凛子にとって赤石は、「中年のおじさん」以外の何者でもなかった。加えて、仕事探しで頭がいっぱいになっている最中の凛子には、結婚なんて現実から最も遠いところの話だった。

それにしても赤石の真意を測りかねていた。

少なくても凛子には「何気なく言った⁉」ように感じたプロポーズが、真剣に考えた上での本心なのか、はたまた感情のおもむくままに自分の思いを口に出したまでなのか。

赤石が放ったプロポーズの真偽を確かめることもなく、凛子は断った。

アクシデントみたいな一件があってからも、赤石の凛子に対する態度は何も変わらなかった。相変わらず売り上げには貢献し、右城のことでも親身になって相談に乗ってくれた。

凛子自身も赤石への信頼は少しも揺らぐことはなかった。

こうした中で凛子は、赤石の会社が建設に携わったマンションに引っ越した。建設に当たり施主から買い取りを割り当てられた部屋を提供してくれたのだ。

渋谷区との境で道玄坂を登り切った所の環状七号線沿いの高台に、そのマンションは建っている。地籍は目黒区青葉台、２ＬＤＫで眺めのいいベランダがあって満足のいく部屋だった。

一時に比べ関係性は良くなったとはいえ、右城の監視から逃れられたことが、凜子には何より大きかった。この引っ越しによって、右城には凜子の居所がすっかり分からなくなったというわけだ。

ところで話は少し前に戻るが、引っ越し直前の凜子にスカウトの話が舞い込んだ。それは銀座の一等地、並木通りで何軒ものクラブを経営している「東洋相互企業」という会社からだった。

この会社が持つ「クラブシルクロード」「クラブアビース」「クラブ藻」や韓国料亭「秘苑」は、銀座で超一流といわれる「クラブ姫」と肩を並べていることは、凜子も知っている。

会社のスカウトマンと会ったのは、引っ越しが一段落してからだった。

スカウトマンが言うには、シルクロードより一段上の超高級「クラブデロワ」を開店する予定で、その店にぜひとも凜子に来てほしいというのだ。

無職になって一か月足らずで声が掛かった。しかも、今までのクラブとは格が違う。東京に出て働き始めたときから「いつかは銀座」が、目標だった。その夢の舞台—銀座に勤めるために、これまでも必死になって店を探した。

それを叶えて一年余り、今度は自分からは行きたくても行けない、銀座でも「超一流」

と言われるクラブへとスカウトされたのだ。凛子は光栄で嬉しかったし、誇りにも思った。その一方で、とんとん拍子の〝スピード出世〟には、正直なところ凛子自身も戸惑いがあった。そして不安……も。

これまでの店ではしっかりつかめていた凛子の客が、超一流クラブに付いて来てくれる保証はどこにもない。また、どれだけの売り上げを上げられるのかも分からない。プレッシャーに押しつぶされるように、心配にとりつかれた凛子は少しばかりおじけづいて迷路に入り込んだ。

しかし、凛子には明確な目標がある。これまでの努力はそのためのものだ。

—私は、日本で一番の「銀座」で働くために上京した。それを実現した今、銀座で一番の「クラブ」が次なる挑戦の場だろう。もし、自分に客が付いて来ないのであれば、もう一度最初からやり直せばいいことだ。

凛子は「クラブデロワ」への誘いを受けた。

契約金は三〇〇万円。日給二万円に歩合給と指名料がプラスされる。歩合給は売上額に応じて決まる。凛子はもちろん「売上制」のホステスとして契約した。

さらに凛子は、自分に付くヘルプが必要だと考え、新宿の店で働いている小松美恵子に声を掛けた。スカウトマンと交渉して日給八〇〇〇円で来てもらえることになり、美恵子も給料がぐんと上がる以上に凛子とまた一緒に働けることを喜んだ。

このころ長野では、母の吟が経営する「割烹陣屋」がますますの繁盛を極め、新たにビルを建設して移転した。

店舗兼住居となる新ビルは、これまで長野市西町にあった店から直線で約二〇〇メートルの所にある一〇〇坪（約三三〇平方メートル）ほどの鍼灸院跡地に建てられた。

地上三階、地下一階で一、二階を「割烹陣屋」と母の住居に充て、三階には凛子をはじめ三人の子どもたちにとベランダ付の部屋。そして地下の半分は機械室とし、後の広い空間は凛子が帰って来たときのためを考え、店として使えるようにと空けてあった。

当時、吟は四十七歳という若さだった。衰えを知らない母のバイタリティーに、新たな頂を目指す凛子は「負けてはいられない」と気を引き締めた。

クラブ名の「デロワ」は、フランス語で言う「王様」を意味する「デ・ロワ」からの引用で、まさに男性客を王様に見立てた店名だ。

広さ一二〇坪（約三九六平方メートル）のフロアは床から壁まで大理石。そこに一五席ほどが配置され、店長はじめ一〇人の男性スタッフと雇われママの他に四〇人近いホステスが接客に当たる。

店内は淡いピンク色で統一されて清潔感に溢れ、随時ピアノやハープが演奏されるなどゴージャス感が漂っていた。

銀座で働くホステスは、洋服より和服の方が二〇〇〇円高く日給が支払われる。凜子は、「デロワ」に勤め始めるようになってから極力和服を着るようにした。

その和服には、銀座ならではの着方があった。

例えば後ろ襟—普通は肩より少し後ろにずらして襟をくって着るのだが、銀座のホステスは後ろ襟をまったく抜かないで詰めた状態にする。そして前襟も首に詰めるように合わせ、襦袢に縫い付けた飾り襟を多く見せて着付ける。

このように、それぞれの地区特有の着付けがあって、ホステスの着方を見ただけで新宿だ、赤坂だ、銀座だと一目瞭然なのだ。

凜子は和服姿で車を運転して通勤した。

車は、ボディーが赤で黒のルーフ、当時人気の日産ブルーバード「スリーSクーペ」だ。

銀座に向かう途中、信号で止まり運転席から横断歩道を行き交う人波を見ながら、凜子はしばしばこんなことを思った。

店を移ってからも、自分が知る限りの人に連絡を取り、一人でも多く「デロワ」に通ってもらいたいと懸命に頑張っている。けれども、「これだけの通行人の中に、私の知っている顔が一人も見当たらない。仕事に対する努力がまだまだ足りないんだ」と。

店に着くと待ち構えていたようにポーターが、凜子の源氏名で「千恵さん、おはようございます」とあいさつをする。そして車のキーをさっと受け取り、路上駐車できる場所を見つけて駐車してきてくれる。

その鈴木紘一郎というポーターは、凜子にとってパートナーともいえるすごく大事な存在だ。

凜子の客の名前と顔を覚えていて、並木通り辺りで見掛けると店まで連れてきてくれる。たとえ、他の店に行こうとしていたとしても、ポーターから名前で声を掛けられると、客は名前を憶えられていることに自尊心をくすぐられ、悪い気はしないのだ。

だから凜子は、ポーターの彼には普通より多いチップを渡して大切にしていた。


東洋相互企業には、銀座で「伝説の部長」と呼ばれている人がいる。その天野部長の口説きにかかると、どんな女性でもスカウトされてしまうそうで、各店舗のホステスの中には結構な有名人や芸能人なども名を連ねていた。

銀座の超一流クラブに勤めてみて凜子は、あらためて気付いたことが多くある。

ホステスが皆美しいことはもちろんだが、毛皮のコートやストールにダイヤ、ルビー、エメラルド、サファイアなどの宝石、貴金属などをさり気なく身に着けている。中には指元が見えないほどの大きなダイヤの指輪を薬指にしているホステスもいた。

凛子はそれを眩しい思いで見つめながら、いつかは私も絶対にあのような豪華なものを身に着けられるようになるぞ、と上昇志向に活を入れるのだ。

さらに羨ましかったのは、ママをはじめお姉さんホステスの席には有名な企業人や芸能人が多く、一段と華やいで輝いていたことだ。梅宮辰夫も毎晩のように通っていた。

こうした光景を離れたところから眺めるだけだった凛子が、いつしか毎月一回行われる店のミーティングで発表される「ナンバーワン」を取れるようになっていた。ナンバーワンは、一か月間の総売上額—指名料、サービス料、税金を除いた純売上額—で決まる。

とはいえ、凛子のナンバーワンは安定した「指定席」ではなかった。翌月にはベテランのホステスにその座を奪われ、さらにまた翌月に取り戻すといったように、二人の間でシーソーゲームを演じていた。

ヘルプで銀座デビューした凛子は、売上制ホステスになった二店目から「ナンバーワン」になりたいという意欲が芽生え、今は常に「トップ」でいたいと思うようになった。

このごろの凛子は、よく分からない自分の心の中を覗き込みたい衝動に駆られることがままあった。凜子自身が認めるように「おっとりした性格」のどこに、これほど強い気持ちが潜んでいたのか。それが、いつから備わった強さなのか。

「ナンバーワン」を競い合うまでになった凜子には、仕事に対する確たる自信の裏付けがあった。

生活用品など身の回りの整理整頓は決して得意な方ではなかったのに、ある覚悟をもって仕事に臨むことを決めていた。その一つが、「今日の仕事は絶対に今日の内にやり終え、決して明日に延ばさない」という、出来そうで出来ないケジメを自分に課したことだ。

中でも、売上制ホステスにとって基本中の基本である顧客情報をこまめにノートし、売掛金伝票の整理を几帳面に行い、集金予定の日程など計画をしっかり立てる。こういったルーティンをきちんとこなせるようになったのは、凜子自身にとって大きな成長だった。

客の名刺には、もらった日付から誕生日、趣味、顔などの特徴まで書き込むことを習慣とした。また、詳細なアドレス帳をつくり、いつ誰が来店したか一目で分かるようにして、タイムリーな連絡で店に来てもらえるようローテーションづくりにも腐心した。

さらに声掛けして来店した客には「お目にかかれて嬉しかった」旨の礼状を、必ず手書きして出すことを心掛ける。そうすることで、大抵の場合は再び店に足を運んでもらえた。

こうして凜子は、客層を広げ売り上げを伸ばしていった。

売上制ホステスが抱えるシステムの一つとして「四五日サイト」いう縛りがある。売掛金を四五日締めとして清算する仕組みのことだ。

具体的には、凛子の客が支払う現金（飲食代）は、店ではなく凛子が預かる。店に対しては売掛けの状態になるわけだが、その日の売掛金は、四五日後に売上金として指名料を差し引いた金額で店に納める。

凛子は毎晩、出勤して店の最も奥にある事務所に直行し、売り上げの状況を確認したり売掛金を清算したりする。このため、凛子の帯の間には常に一〇〇万円ほどの現金が挟まっていた。

売上制ホステスにとって集金は最も重要な仕事といっても過言ではなく、日中それぞれの会社の支払日に合わせて会社の窓口や、ご機嫌伺いがてら菓子折り持参で客に会いに行くのも、結構大変な仕事だった。

店での凛子は、自分の客であろうがなかろうが、誰彼なく訪れる全ての客に対して笑顔で接し、丁寧に対応することに心掛けていた。

とくに自分を指名してくれる客の顔が入口に見えたら、店内を走ってはいけない規則ギリギリの足早で駆け付ける。それも、つま先を立てて。そうすることで躍るように見えて全身らない。

客席に着くと水割りを作り、オードブルを取り分け、灰皿の交換などさまざまなおもてなしをするのだが、常に客の目を見つめ会話を途切れさせないよう手際良くしなければならない。

また、同じテーブルで複数の客を相手にするときは、接客セオリーみたいなスタイルがある。席に着いている皆の目を見回すように話すのは当然だが、右手でタバコに火をつけ、左手は隣の客の太腿に置き、対面の客とは膝と膝を突き合わせる。このように〝全方位〟の気配りが求められる。

中でも難しいのが会話。この業界に限らず一般的に「聞き上手」がいいとされるが、相槌も「あっ、そう」程度ではダメなのだ。「それで?」とか「すごい!」とか、声色やトーンを変えて話に興味を示し、会話を盛り上げるように気遣う。

そうかと言って、ただ相槌を打っているだけではホステスは務まらない。客のどのような会話にも付いて行ける豊富な知識や話題が必要とされる。

凛子の場合は、その日の出来事や来店予定の客の趣味などを前もって調べ、話のネタを二、三仕込んでから店に出ることを心掛けた。しかし、水商売の世界、政治と宗教の話はご法度だった。

こうしてホステスたちは皆、売り上げを伸ばすための努力を惜しまないが、凛子は売り上げ方に関してある〝哲学〟を持っていた。

毎晩のように来る「派手」な客より、月に一度しか来られないような「地味」な客を大事にし、またそうした客層を増やそうと努めた。

理由は――しょっちゅう通ってくれる一人あるいは一組の「派手」な特定客に頼ってしまうと、その客と突然連絡が途絶えてしまった場合、四五日サイトで何百万円と膨れ上がった売掛金を、係のホステスが一人で背負い込むことになってしまう。

これが月に一度ぐらいの「地味」な客に同様なケースが生じたとしても、一回分の売掛金で済むから被害は最小限に抑えられる、というわけだ。

こうしたことはありがちな話で、事実、毎晩通ってくる客を持ち得意満面、派手に振舞っていたあるホステスは、その客が突然来なくなり連絡も取れなくなった。このため、千数百万円という借金を背負い込んだホステスは、ソープランド嬢に転身して数年かけて返済したという。

ちなみにこのソープランド嬢、噂によると過去のことには口をつぐんで、再び銀座のホステスに舞い戻ったそうだ。

もちろん、凛子にも「派手」な客から指名したいという話はいくらでもある。

その一人に毎晩、店に顔を見せる男性がいた。服装からしてもあまりに派手で素人でもなく、かといって玄人でもない。まったく得体が知れなかったこともあって、凛子は指名をやんわり辞退した。

後日、その男性は縦二〇チセン、横三〇チセンの「ピアジェ」の置時計を抱えて、プレゼントしたいと凛子に言ってきた。スイス製のピアジェといえば腕時計でも数百万円はする。置時計は、緻密な金細工を施し文字盤にはダイヤやルビーがはめ込まれていて、さすがの凛子でも一体幾らぐらいになるのか想像できなかった。

結局、プレゼントも受け取らなかった。

華やかな世界のただ中にあって堅実なスタンスを貫く凛子は幸いにも売掛金の踏み倒しに遭ったことは一度もなく、短期間に思った以上の成績を上げて輝きをさらに増していた。

ある日、週刊誌に「銀座ルーキー登場」のタイトルで、凛子のインタビュー記事が顔写真付きで掲載された。さらに当時、テレビの人気深夜番組「11PM」にもゲスト出演するなど、すっかり「銀座の女」を代表する顔になっていた。

生活にも余裕が持てるようになり、時折訪ねて来る弟の中園雄一を連れて赤坂東急ホテル内の中華料理店「留園」に行き、フカヒレとか北京ダックなど長野ではあまり口にできないような料理をたっぷりとご馳走した。

凛子は、おいしそうに食べる弟の姿を姉として見るのが嬉しかった。

生活圏も広がっていくと、思わぬ所で同郷の知人とばったり、などという偶然もしばしば経験する。そんな一人に長野信州放送の飯坂東京支社長がいた。

店がはねてから繰り出した赤坂のサパークラブで出会った。

「凛子ちゃん、何でこんな所にいるんだ！」とかなり驚いた様子で、叫ぶように声を上げた。凛子が銀座並木通りにある「クラブデロワ」で働いていると言うと、さらにびっくり。何とそこは長野信州放送東京支社が入るビルと斜めに向かい合う〝ご近所さん〟だった。

そんな偶然が重なって、飯坂支社長も店に顔を出してくれるようになった。


「デロワ」をはじめ多くのクラブを経営する東洋相互企業の社長は町井久幸といった。凛子は一面識もなかったが、かつては愚連隊上がりのヤクザ組織を率いていて、その組織は終戦直後の混乱期に「銀座警察」とか「新橋警察」とかの異名をとっていたそうだ。

今では、銀座ネオン街にコンツェルンを築き上げ、クラブ関係だけで約四〇〇〇人のホステスをはじめ六〇〇〇人ほどの従業員を抱えていた。

あるとき凛子は、六本木にある本社ビル地下のサパークラブ「キャラバンサライ」に行ってみた。

店内に足を踏み入れてすぐに、凛子はあまりの豪華さに圧倒された。

約一〇〇〇坪（約三三〇〇平方メートル）はあろうかと思われる広さに「東洋一」とも謳われる豪華な内装。一脚六万円はするブロンズ製の椅子やテーブル、カクテルラウンジの椅子は何十万円とか。また、ペルシャの織物が壁を飾り、紀元前とかのペルシャネックレスなどなど、莫大な費用を費やした装飾品が異国情緒をたっぷりと演出していた。

今までに見たことのないような煌(きら)びやかな店内に目を奪われていたちょうどそのとき、町井社長がドレスアップした細身の夫人をエスコートして店内の螺旋(らせん)階段を下りてきた。

町井社長は、背が高くがっしりとした体格だったが、凛子の目にはとても優しそうに映ったし、過去の経歴などはまったく想像させなかった。

優しい笑みを湛える夫人は、眩(まばゆ)いばかりの貴金属を身に着け、しなやかにドレスを翻(ひるがえ)しながら上品にエスコートに応じていた。その姿はまるで外国映画のワンシーンのようだった。

ホステスたちが活動を始める銀座の黄昏時――。

ミニスカートにピンヒール、道路を跳ね上げるようにカッカと人混みを巧みに縫って行く。美容院を出て仕上がりの髪に指を添わせ、さあ戦場へと気構える。

そんなホステスたちの出勤途中を〝狙う〟黒服の男たちもうごめき始める。スカウトマンだ。彼たちは並木通りをテリトリーに行ったり来たりして、目に付いたホステスを文字通りスカウトするのが仕事だ。

ホステスが関心を示すと、近くの喫茶店に誘い「引き抜き交渉」を始める。その喫茶店は銀座八丁目並木通りの「いちこし」といって、多くのスカウトたちが利用していた。

交渉のカギは何と言っても「ギャラ」に尽きる。この交渉、銀座ならではなのか、ちょっと浮世離れした世界をのぞき見ることができる。

「今、どこのお店で働いていますか?」の枕詞で始まるスカウト交渉。互いに目的を理解しているだけに話は至ってシンプルに展開する。

「現在、日給は幾らですか?」。ストレートに本題を切り出す。

「一万二〇〇〇円です」と、気負わずに答えるホステス。

スカウトマンは、真偽などはどうでもいいとばかりに、「自分の店に来てくれれば『一万四〇〇〇円』出します」と間髪を入れず、引き抜き条件を提示する。

「考えてみます」。即答を避けてホステスは喫茶店を出る。

さらに並木通りをしばらく行く。また別のスカウトマンに声を掛けられる。

同じパターンの交渉が始まる。だがホステスは、そこで「日給は『一万四〇〇〇円』もらっています」とサバを読む。

スカウトマンは、すかさず提案する。

「当店は『一万六〇〇〇円』出すので、移ってきませんか」と。

凛子は思う—例えば並木通りを銀座八丁目から四丁目まで歩けば、日給は一体幾らまでハネ上がるのかしら、と。

高度経済成長の時代を象徴するような浮世離れした光景ともいえた。

こうしたスカウトマンたちの間で、凛子は顔を知られる存在となっていて、路上でそうそう気安くスカウトされることはなかった。

だが、そんなある日、凛子は見るからに新人と分かるスカウトマンからアプローチされた。

「あなたの『スカウト手帳』を見せてごらん」

声を掛けたホステスから逆に、こんなことを言われるとは思っていなかったのだろう。新人の若きスカウトマンは、警察官から職務質問されたみたいに、素直に持っていたスカウト手帳を凛子に示した。

手帳にはスカウト対象のホステス名がずらりと並んでいる。その一番上に「日向千恵」とある。しかも二重丸が付けられていた。

手帳を一瞥した凛子は、ホステス名簿の最初に書き込まれた自分の源氏名を指差しながら、ちょっと意地悪っぽく尋ねた。

「この人とは、会ったことあるの？」

新人スカウトマンは「いいえ」と答えて、こう続けた。

「自分たちの間では、この人が一番人気なのですが、私はまだ会ったことはありません」

「私が『日向千恵』よ」

「……」

鳩が豆鉄砲を食らったように立ち尽くす若きスカウトマンを尻目に、凛子はその場をさっと立ち去った。

呆然と見送る視線を背中に感じつつ、最高の気分に満たされながら——。


閉店時間が近づくと銀座の並木通りには、家路につく客や赤坂、青山、六本木などに繰り出すホステス連れの客たちが一斉に吐き出される。

そして始まる〝タクシー争奪戦〟。

一万円札を持った手を懸命にかざし、タクシードライバーに見せびらかすように頭上でひらひらと振るポーターやホステスたち。人波とタクシーがひしめく喧騒劇は、毎晩繰り広げられる銀座の風物詩ともなっていた。

銀座でトップクラスの人気ホステスとなった凛子だが、本来アルコールはあまり受け付けず酒に弱い体質だった。ちょっと口にしただけでも顔が真っ赤になり、心臓はバクバク踊って眠くなる。そんなところも母の吟とそっくりで、しかも当時、定番だったウィスキーの水割りは、肝心の香り自体が苦手だった。

このままでは売り上げに響くと考えた凛子は、試行錯誤の末に常識を覆す「水割り」を〝開発〟した。

ブランデーの「レミーマルタン」を、水で割ると抵抗なく飲めたのだ。

それからというもの凛子は、ウィスキーではなくブランデーの水割りをもっぱら注文して飲んだ。しかし、客からは「ブランデーは香りを楽しむものだから、水で割ったら駄目でしょう」と邪道扱いされた。

凛子はひるむことなく、口当たりが良くて飲みやすいブランデーの水割りをオーダーし続けた。するとどうだ、ホステスの間で知らず知らずのうちに流行り出し、ついにはレギュラーな飲み物として〝認知〟されるまでになった。

さらに、しばらくすると「ブランデー、水で割ったらアメリカン」というテレビＣＭが流れ始めたのだ。

凛子は、世間に声を大にして叫びたかった。

「ブランデーの水割りを流行させたのは私よ！」って。

このころの凛子は、以前プロポーズされたが断った鉄工会社の赤石克也社長と、年に数回は海外旅行に出掛けていた。

行き先は東南アジアだったが、これまで日本から出たことがなかった凛子にとって、外国の見るもの聞くもの全てが新鮮で、海外への興味は羽ばたくように広がっていた。

その上、旅行先での赤石は自分の足で何店舗も見て回り、ミンク毛皮のストールやコート、ダイヤモンド、エメラルド、ルビー、サファイアといった宝石など気に入った品物を次々と買い求め、凛子にプレゼントするのを楽しんだ。

これらの高価な品々に囲まれた凛子は天にも昇る心地だった。そして赤石との体の関係も自然にできてしまった。

また、香水専門店ではあまりの多くの香りを吸い込み過ぎて頭がくらくらする中で、凛子が最も気に入って選んだのが、香水とオーデコロンの中間辺りの濃さのオードトワレ「ヴァラベルサイユ」だった

以来、凛子は「ベルサイユ」を〝香りの友〟とした。

凛子に貢ぐことをある種の喜びとしていた赤石には、常に行動を共にしている六、七歳

年下の都瑠本智徳という同業者がいた。

その都瑠本が、凛子に対する赤石の度を超した金遣いを見かねて、あるとき「あの娘は金食い虫だから、いい加減止めたらどうですか」と苦言を呈したそうだ。

これに対して赤石は、こう返したという。

「自分の手で、あの娘を銀座で一流の女性に育てたいと思っている。だから、いくらお金をつぎ込んでもいいんだよ」

ところで都瑠本は、後に鉄工業からパチンコ店、不動産業、リゾート開発と多方面に事業を拡大し、止まるところを知らなかった。

平成二年、阿蘇山麓の大分県上津江村に八〇〇億円の巨費を投じて「オートポリス」という、美術館やホテルを兼ね備えた総合文化施設オートサーキット場を開設した。

オープニングセレモニーには、竹下元首相をはじめ国内外から数多くのＶＩＰを招き、それは華々しく目をみはるものだったという。

私生活面でも競馬の馬主になったかと思えば、かの有名なピカソ青の時代の作品「ピエレットの婚礼」を平成元年当時、史上最高値と言われた約七四億円で落札して、世界的に注目された。

破竹の勢いで出世する都瑠本に凛子は本当に驚いたが、まだ赤石の後にくっ付いて歩いていたころの彼に、凛子は八王子にいた従妹の小山君子との見合いをセッティングしたことがあった。

しかし「独り身」と言っていた彼に、付き合っている女性がいたことから君子との間に進展はなかったが、後に二人は、とてもインパクトのある再会を果たすことになる。

ピカソの絵を史上最高価格で落札したり、阿蘇山麓にオートポリスを建設したりで、都瑠本が週刊誌を賑わしていたころの話だ。

当時、軽井沢でブティックを営んでいた君子は、すっかり有名人になった都瑠本が懐かしくなり電話をした。すると、思いもよらない言葉が返ってきた。

「今から会いに行くから、そこで待っていて」

えっ、どういうこと⁉　君子は彼が何を言っているのか、よく分からなかった。

だが、しばらくして次第に大きくなる轟音によって君子は、電話口で彼が言った言葉の意味を理解する。

都瑠本は、ヘリコプターで軽井沢の君子に会いに来たのだ。

〝臨時ヘリポート〟の広場で立ったままでわずかな時間、思い出話に浸る間もなく再び土埃を巻き上げて、彼を乗せたヘリコプターは轟音を残して飛び立って行った。

ローターが起こす土まみれの風圧にさらされながら呆然と見送った君子は、まるで夢の中の出来事のように思ったそうだ。

その都瑠本の会社は、バブル崩壊とともに平成四年、一八〇〇億円の負債を抱えて倒産した。


凛子を「銀座の一流の女性に育てる」と公言する赤石は、その後も惜しみない献身ぶりを見せて毎晩のように「デロワ」に来ては、凛子の売り上げナンバーワンを支えていた。一方で赤石は、銀座で新たに台頭してきた「クラブ順子」にも足繁く通っていた。いつも着物姿のママは、唇の左下にある大きな黒子がとてもチャーミングな小柄な女性だった。出身地がお隣の新潟県妙高だと聞いて、凛子も一層好ましく感じた。

「デロワ」には、多くの芸能人や有名人、政財界の重鎮などがよく顔を見せていた。また、これをもてなすホステスたちも粒ぞろいの美人だった。

例えば、有名マジシャンの引田天功が妻と離婚してまで再婚したとも子。歌手の弘田三枝子の妹だが、整形したそうで姉とそっくりだった。

また、ミス八王子になったすごい美人の詩織というホステスは、とにかく芸能人が好きなタイプだった。芸能人が来ると常にべったりと寄り添った。

その詩織に惚れ込んだ一人に、今でこそ歌謡界の大御所と言われているが、当時は「クラブ殿」で弾き語りをしていた笛吹裕之。閉店時間になると「デロワ」が入るビルのエレベーター脇で詩織を待っている姿をしばしば目にした。

しかし詩織は、後に殺人事件を引き起こす人気若手歌手に入れ込んでいて、デビュー前の笛吹などは目ではなかった。凜子に言わせれば、結果的に詩織は人を見る目がなかった、ということになるわけだ。

か、と思えば「一途」といったケースもあった。新参者だったその小柄な女性は、およそ銀座らしからぬホステスだった。化粧をせずまったくの素顔で黒髪をくるりと後ろで一つにまとめ、言葉少なに薄い笑みを常にたたえて地味な紬の和服で佇んでいた。

彼女はたった一人の客しか持たず、その客が当時の角界を背負う「大横綱」であった。横綱が来店すると、誰も寄せ付けずに二人だけで仲睦まじく過ごしていた。

「デロワ」と同じビルの三階に新しくオープンした「レッドミナーレ」というクラブには、赤石社長お気に入りの女性歌手がいた。後の八代亜紀その人だった。

店内をより一層華やかにしている存在が芸能人であるのは紛れもなかった。芸能人はほぼ例外なくスポンサーと一緒で、会計は全てスポンサー持ちということもあってか、一様に彼らのテーブルは賑やかで派手だった。

だが凛子は、芸能人の客は一切持たない主義を押し通した。

銀座の一流クラブともなれば、芸能人に限らず財界をはじめ各界の著名人が多く訪れる。こうした環境に、学歴のなさを身に沁みて感じていたのが、他でもない「高校中退」の凛子自身だった。

それだけに凛子は、かつて「高校に行きなさい」と言って校長にまで引き合わせてくれた〝あしながおじさん〟の永坂薫のことを、今さらながら思い起こす。しかしそこは凛子、過去を悔やむばかりでいるはずもなく、足りないところを日々の努力で補おうとしていた。日課として、日本経済新聞などを隅から隅まで目を通して情報収集することを怠らなかった。知っている客や企業などが載っている関連記事は漏れなくチェックし、人となりや考え方、経済状況から社会情勢までしっかり押さえた。

ホステスとして、その場の話に付いていくのは当然のこととして、客の好む話題を積極的に提供するなど機知に富む会話や豊富な知識を武器に、凛子は着実に客層を広げていった。

そんな折、今朝美が「銀座で働きたい」と言って訪ねて来た。しかし凛子は、その頼みを渋った。今朝美の人格云々をとやかく言いたくもないが、今ひとつ信頼を置くことはできなかった。

とは、思いつつ頼まれれば嫌と言えない性格の凛子には断り切れない。結局、今朝美の保証人にまでなって他の店を紹介した。だが、さすがに「デロワ」には入店させなかった。

東洋相互企業は「デロワ」以外に、新たにオープンした「センチュリープラザ」や「レッドミナーレ」を含め八店舗ものクラブを持っていたが、あるとき全員そろっての慰安旅行が催された。

愛媛、高知、徳島を巡る四国の旅で、従業員など実に総勢約七〇〇人が一八台のバスで東京を出発した。紀伊国屋書店の田辺茂一社長も同行し、夜の宴会で田辺社長が裸踊りまで披露するなどして盛り上がった。徳島では皆が阿波踊りを踊りまくった。

銀座の華やかなホステスたちが大挙して訪れた各地の観光地では、それだけで話題となった。後日発売された週刊誌には、見開き四ページを割いて記事と写真が掲載されたほどだ。

凛子が勤めて一年が過ぎたころ「デロワ」のママが辞めた。

ある日、凛子は高橋店長に呼び出された。

「会社の方針として『クラブデロワ』の次のママは、『日向千恵』と決まったけど、受ける気ある？」

高橋は、凛子の意思を確かめるように尋ねたが、聞かれるまでもなかった。

凛子は素直に引き受けた。

店の売り上げに貢献していると自負している。多くの客席の接待をそつなくこなすための潤滑油として大勢のヘルプのホステスをまとめてきた。こうした努力が認められて、あまたのホステスから凛子に〝白羽の矢〟が立ったのだ。

そう思うと、凛子の胸は喜びにはち切れんばかりになるのだが、同時にママとしておののきにも似た重責がプレッシャーとなって追い駆けてきた。

ママともなれば、これまで着いたこともない客の席を受け持つようになる。「デロワ」の親会社、東洋相互企業の町井久幸社長の席もその一つだ。

あるとき、町井社長が背の低いずんぐりした坊主頭の男性を恭しく案内して店にきた。その二人の後を、如何にもと思わせる黒いスーツで身を固めた男たちが、四人ずつ別れて「八の字」になって従っていた。

あまりの物々しさに多少怖気づきながらも席に着いた凛子は、しばらく様子をうかがっていたが、突然蘇った記憶に「あっ」と心がざわついた。

丸坊主の男性が児島富士夫だと気が付いたからだ。

数年前、ヤクザに「俺の女になれ」と脅迫され、もう終わりだと思い詰めた凛子が自殺未遂を起こした。その際〝あしながおじさん〟の永坂薫に連れられ一緒に向かった先が、この児島の大きな屋敷だった。

帰り道、「もうヤクザは来ないから安心しなさい」と言う永坂から聞いたのが、「右翼の大親分」ということと「児島富士夫」の名前だった。

町井社長の接し方を見ていると、児島は何という偉い人なのかとは思う。が、大企業の会長とか社長とかの雰囲気とはまったく異なる独特の威圧感を醸している。数年前のあのときと同様、凛子には謎に包まれたとてつもない人物のままだった。

それにしても……と、凛子は児島と〝再会〟したことによって別の意味で永坂に思いを馳せた。多くのガードマンに守られ、応対する町井社長すら卑屈に見えてしまうほど大物の児島に、頼みごとができる永坂って一体、何者なのか。

今は疎遠になっている永坂だが、以前は四谷にあるジャニー喜多川の事務所をしばしば一緒に訪ねた。この後、爆発的な人気を博すことになる初代の「ジャニーズ」が、この事務所からデビューしたことは驚きだった。そして最後に電話で話したときは、ある人を女優にするために駆け回っているようなことを、確か言っていた。

凛子の〝あしながおじさん〟の正体も、ますます奥深い霧の彼方に行ってしまった気がした。

この席で凛子は、永坂のことはもちろん、永坂と一緒に邸宅を訪問したことも、何一つ口には出さなかった。たとえ話したところで覚えているはずはないと思った。

あのとき頼みごとをする永坂の斜め後ろで、黙って畳の目を数えていた小娘が、今ここに一流クラブのママとして接待している凛子であることなぞ、誰しも想像できないだろう。町井社長は帰り際、いつものようにズボンのポケットから、鷲づかみにした二つ折りの分厚い一万円の札束を出して、「この場のホステスたちに分けてくれ」と無造作に凛子に渡した。

財布も持たず、札束を数えようともしない。「さすが『銀座の夜の帝王』は違う」。凛子は、その格好良さにいつも感心するのだった。

また町井社長は、韓国の大臣など政府高官と一緒に二次会の席としても「デロワ」を使っていた。まったく韓国語が分からない凛子のために、社長自身がところどころ通訳もしてくれた。

あるときなどは、下関と韓国の釜山をフェリーでつなぐための協議をしていることを聞かされた。後年、この間でフェリー運航が開始されたときは、自分たちの仕事がわずかでも実現に貢献できたのではないかと、凛子はちょっぴり誇らしく思ったものだ。

ママになってから知ったことだが、何か月かに一度は六本木の本社ビルで「ママ会議」なるものが開かれていた。各店舗のママが集まり昼食会を兼ねて開催しているもので、新米ママとして凛子が初めて出席した会議には、ベテランママやチーママたち二五人ほどが顔を見せていた。

凛子が、恐る恐る臨んだ初会議で印象に残ったことといえば、ママたちの雑談の中で耳にした客の〝獲得法〟。

「私は必ず一度だけ、そのお客様と寝るのよ。そうすると、また寝られると思って通ってくれるわよ」、「自分は店が終わった後、必ず朝まで飲み歩くのに付き合うことにしているわ」といった具合の会話が、当たり前のように交わされていた。

店以外で客との付き合いをほとんどしていなかった凛子には、ちょっと驚きだった。

凛子の場合は、大勢の客を順繰りに誘い夕食を共にしてから「同伴出勤」するのを常としていた。店が終わった後は、いつも自分の席にヘルプで入ってくれるホステスたちを連れて食事をご馳走したり、「ゲイバー」とか「おなべバー」に行ったりして遊ぶ。

したがって、客と夜を過ごす時間などなかったわけで、これが凛子のやり方だった。

全国の人口が集中する東京、その中でもさらに人が集まる銀座。だからなのか、凛子は思い掛けない人とよく遭遇する。

この夜も、そうだった。

客を見送って並木通りに出たときだった。大村浩市にばったり出会ったのだ。

かつて、長野で付き合っていた右城俊から凛子を遠ざけるため母の吟が画策、尼崎市の大沢という友人宅に凛子を〝疎開〟させた。その折、一緒に遊んでくれた大沢家の宝塚スター姉妹の次女、すみれ姉のボーイフレンドが大村だった。

大村は、凛子の変わりように驚いた様子だったが、折角だからと「デロワ」に寄ってくれて、尼崎時代の話に花を咲かせた。今はもう、すみれ姉とは会っていないそうだが、これをきっかけに大村は、凛子にとって大切な客であり友人の一人となった。

「北海道のラーメンを食べに行こう」とか、「博多に『とんかつ屋』という魚料理を出す面白い店があるから、お昼を食べよう」とか、大村は突拍子もないことを言って、凛子をたびたび誘う。

それも、飛行機を使ってちょっと足を延ばすといった気軽さで日帰りする。そうした夜は羽田から直行で同伴出勤する。何とも言いようのない贅沢な遊びがあるものだ、と凛子は妙に感心するのだった。

その大村、今度は一か月に及ぶアメリカ旅行に凛子を誘った。

昭和四十四年の春のこと。男友達五人でアメリカ旅行を計画したはいいが「男ばかりで何とも味気ない」。そこで思いついたのが、「皆で旅費を出し合って、凛子を招待する」というアイディアだったのだ。

海外への興味を膨らませていた凛子は、この〝春の椿事(ちんじ)〟を喜んで受け入れ、店には思い切って「長期休暇願」を出した。

アメリカ全土を巡る一か月の旅だけに暑い所、寒い所にも行く。凛子は旅行着の全てを「クラブ衣笠」時代から親しくしている専属デザイナーの三原八重子に仕立ててもらうことにした。三原は元々が洋服の仕立屋をしていたので、お手の物だった。

こうして機上の人となった凛子は、偶然にもこの世のものとは思えない〝神の領域〟の絶景と出合う。

旅客機は日付変更線を越え就寝時間の機内は寝静まっていた。窓際のシートで眠れずに手持ち無沙汰の凛子は、閉めていたシェードを何気なく開けた。

瞬間、凛子は息をのんだ。

小さな窓の外には、漆黒から濃紺がかった空を横一文字に裂いて、黄金色と黄色に輝き橙、赤、紫、青、そして紺碧が濃密にグラデーションする縞模様――あらゆる想像を超えた光のページェントが目の前で繰り広げられていた。

ちなみにこの年、西暦一九六九年の七月にはアメリカの「アポロ11号」が史上初の月面着陸に成功。人類で初めて月に降り立ったニール・アームストロング船長の「人間には小さな一歩だが、人類にとって大いなる飛躍だ」の名言が世界中にテレビ中継される。

宇宙では大気圏とは比べものにならないくらいの神秘な光景が広がっているのだろう。きっとアームストロング船長もそれに触れたに違いないなどと、凛子は自分が体験した感動に重ね合わせて想像を膨らませた。

以降、凛子は、航空機を使って数えられないほどの海外旅行をしている。その都度、目に焼き付いたあのグラデーションの幻想の空を決まって探し求めるのだが、一度として出合えていない。そして、今も――。

アメリカ最初の目的地はサンフランシスコ。温暖な気候が気持ちを浮き立たせてくれる。大きなエビやカニにかぶりつき、あのゴールデン・ゲート・ブリッジを渡って自然豊かなサウサリートへ。それからロサンゼルスのハリウッド、センチュリープラザ中華人街。南下してラスベガスでカジノやショーを楽しんだ。

プロペラ機でグランド・キャニオンへ。途中、飛行機は大揺れしエアポケットにはまって何百メートルも急降下するなど肝を冷やしたが、断崖に立った凛子は壮大な大峡谷に圧倒されて絶句した。

地球の歴史を刻む何色もの地層、千メートルを超える深い断崖を目の当たりにした凛子が、最初に思い浮かべたことは何とも意表を突く感慨だった。

—女の私が、こんな雄大な景観に触れるなんて、何ともったいないことだろう。ぜひ、日本の男性に見てもらいたいものだ。

凛子たち一行は、アリゾナ州を経てメキシコに足を延ばし、メキシコシティのテオティワカン遺跡で巨大ピラミッドを見学。再びアメリカに戻りニューメキシコ州、テキサス州ダラスなどを経由してルイジアナ州に。ニューオリンズではヨーロッパ調の街並みのどこからともなくデキシーランド・ジャズが聞こえてきた。

ワシントンには汽車で向かう、それも贅沢に一等寝台個室で。一行にはアメリカン二世がいて、通訳はもちろん各州にいる彼の知人宅にも招かれた。

ワシントンのごく一般の家庭に招待されたときのこと。凛子は、そこの婦人と一緒に買い物に出掛けた際に、米国社会の闇に触れた気がした。

婦人は日常会話をするように、こう凛子に注意を促した。

「向こうから黒人が歩いて来たら、反対側へ通りを渡りなさい」

えっ？　何を言われているのか分からなかった凛子は、後で「なぜ？」と尋ねた。

婦人から返ってきたのは、「人種差別」。それが答えだった。

「すれ違うときに、黒人から何をされるか分からないから、近づかないことが大事なのよ」

「だったら、きちんと教育すればいいじゃないですか」

「黒人は教育以前の問題よ。教育なんかしても駄目なのよ」

凛子の考えを一蹴した婦人は、付け加えてこう言い切った。

「黒人とは、海もプールにも一緒には入らないわ！」

アメリカ社会のこうした〝負の遺産〟を垣間見た凛子は、ニューヨークで今度は自分たち日本人も、人種差別の被対象者だということを思い知らされる。

ある夜、凛子は当時、日本でも話題になっていたバニーガールスタイルで有名な「プレイボーイクラブ」に皆と繰り出した。

ところが、店の入り口で同行した仲間とドアボーイが何やら揉め始めた。理由を聞くと、この店では「黄色人種」も黒人と同様の扱いをしているという。このため入店を拒否されことで押し問答していたのだ。

まったくの他人ごと、と感じていた人種問題にいきなりさらされた。思いもよらない〝差別される側〟に立たされた凛子たちは、驚きと戸惑いと、不合理さへの憤りなどでさまざまな感情が渦巻いていた。

結局、楽しみにしていた話題の店に入ることはできなかった。

ところが、気分直しに向かった別の「クラブ」は、舞台では普通に黒人歌手が歌い、白人客がスタンディングオベーションで喝采していた。

この二つのクラブで体験した両極の差は、どこでどう生まれるのだろうか——。ダウンタウンの街のあちこちでたむろする黒人たちに多少のたじろぎを感じた凛子には、米国社会に複雑に存在する多様性は、とうてい理解できるものではなかった。

この旅行で凛子は、また一つ人間的に大きく成長させられた気がした。

予定をオーバーして、凛子は一か月半にわたったアメリカ旅行から帰国した。だが、マンションに戻った凛子を待っていたのは〝ゴミ屋敷〟と化した無残な光景だった。充実感に満たされた海外旅行の余韻が跡形なく吹っ飛ばされた。

旅行前に「住む場所がない」と泣き付いてきた今朝美を、旅行中の留守番代わりにと考えて住まわせていた。

前もって帰る日を国際電話でわざわざ知らせておいたのだが、ドアを開けるなり玄関にはゴミが散乱し、部屋中雑然と物が散らかり、台所のシンクには汚れたままの茶碗や皿が山と積まれている。

どこもかしこも埃まみれで、掃除をした形跡はこれっぽっちもない。こわごわ覗いた寝室も、案の定ベッドはぐちゃぐちゃ状態で、明らかに男を連れ込んでいた痕跡も見られた。

凛子の帰国日を知っていながら、今朝美という女はどんな神経の持ち主なのか。あまりのだらしなさに今さらながら心底腹が立った凛子は、行く当てがあろうがなかろうが構わず、今朝美には即刻部屋から出て行ってもらった。

嫌なことは重なるもので、ニューヨークのホテルから送ったお土産が詰まった二個の段ボール箱は、待てど暮らせどとうとう届かなかった。

年も暮れようとしていた。

凛子は、東洋相互企業が製作する翌年のカレンダーに起用されることになり、着物姿で写真撮影に臨んだ。嬉しさと面映ゆい気持ちで撮り終えた写真は、凛子一人のアップで「一月」を飾る。

縦八〇センチ、横五〇センチの大きなカレンダー。記念になると思い、「保管しておいて」と母吟に頼み、何部かまとめて長野に送った。

後に凜子は後悔する。カレンダーもそうだが凜子が載った週刊誌など、母のもとに送った物は知らぬ間に処分され、何一つ残っていなかった。ものすごく悔やんだものの全ては後の祭りだった。

年が明けて昭和四十五年、会社は新築するビルに会員制高級クラブを新たに六店舗オープンさせる計画だった。

そして会社からは、開店する店舗のうちで最も高級な会員制クラブ「シェヘラザード」のママとして迎え入れたいとの意向が、凜子に伝えられた。また、これに併せてホステスやスタッフの人員、店の方針などを考えるよう言われた。

早速「シェヘラザード」の設計図と完成予想図を見た凜子は感激した。どこかの宮殿の応接間や書斎のような雰囲気を漂わせ、ゴージャスな調度品も含めてこれまでのクラブのイメージを一新させる内装に目を見張った。

「私が、ここのマダムになる⁉」

凜子は、夢見心地だった。

すると不思議なもので、時を同じくして新たなスカウト話が相次いで舞い込む。しかも、破格の条件が提示されて――。

一つが、「デロワ」の斜め前のビルに新装オープンする「ピロポ」というクラブで、契約金が何と一年契約で二〇〇〇万円を用意している、と言われた。その契約金に凛子は正直なところ心が揺らぎ、検討することにした。

それもそのはず、当時と今との貨幣価値をみると、消費者物価指数換算で約四倍と言われているから、大雑把に見ても当時の二〇〇〇万円は、実に八〇〇〇万円に相当する。誰もが食指を動かす条件だろう。

もう一つは、銀座で一番と評判の「ニュー花」からで、契約金は同じく二〇〇〇万円の提示を受けた。

「シェヘラザード」とともに条件のすごさに有頂天になる一方で、凛子はある感慨にしみじみと浸っていた。

憧れだったこの銀座で、私はとうとう頂点に上り詰めたのだ――。

凛子は、贅沢な三つの選択肢を目の前に並べ、浮ついた気持ちで迷っていた。

決めかねた挙句、長野にいる母の吟に電話を入れた。

ちょっと自慢気な凛子の話を途中で遮って、母が口にした言葉は思いもよらないものだった。

第六章　波瀾万丈――繁盛記

うだるような真夏の暑さを引きずる残暑の信州でも、八月の「旧盆」を過ぎると朝晩を中心に秋の装いが一気に進む。

「割烹陣屋」の通り向かいにある長野県立図書館を囲む木々は、紅葉の準備を始めた葉が、涼風にさやさやと心地良い音を鳴かせて、季節の移ろいを届けてくれる。

昭和四十五年、暮れなずむ九月十六日の夕「くらぶ凛子」はオープンした。

凛子の母、吟が一年前に新築した地上三階、地下一階の鉄筋コンクリート製住居兼店舗。「くらぶ凛子」は、その地下約三五坪（約一一六平方メートル）に店を構えた。

一階と二階に母の吟が経営する「陣屋」があるとはいえ、長野市一番の繁華街、権堂町とは若干離れていて隣は建設会社、斜め向かいが銭湯、ほぼ真向いに図書館と、およそ水商売に向く環境にはなかった。

凛子は、その建物の三階で妹、弟のきょうだいとそれぞれの個室に居住した。

日本で一番の東京銀座で頂点に上り詰めた。そんな実感を抱かせる桁外れの好条件を、超一流クラブ三店から同時に示され「ママとして迎えたい」と誘われた。

夢が、願いが、叶う――そう思った瞬間、凛子は天にも昇る心地の中で持ち前の小気味良い決断力は影を潜めた。思い悩み、迷いに迷った凛子は母に相談したのだった。

銀座での成功を自慢しながらおっとり喋る凛子は、いきなり口を挟んだ母によって話半分で続きを絶たれた。

「ダメダメ、お前は何を言っているの！」

母は元来、人の話をじっくり聞くような人ではない。ましてや凛子の〝自慢話〟はまどろっこしかったに違いない。

「東京は一年だけという約束だったでしょ！」

反論は許さない！　そんな口調で一方的にまくし立てた。

「新しいビルの地下は、お前が東京から戻って店が開けるようにスペースを確保してあるし、三階にはお前の住む部屋も用意してあるから、とにかくもう長野に帰って来なさい！」。

言うだけ言われた揚げ句に、電話をガシャンと切られてしまった。東京での娘にはまったく関心を示さず、銀座で成功したこともほめてくれない母親——。

凛子は寂しさを思いっ切り感じた。

けれども、振り返れば確かに母の言うとおりだ。右城俊と一緒に上京するときに「一年だけ東京に行かせてほしい」と言ったのは紛れもない事実。そこを突かれれば「ぐう」の音も出ない。

しかも、あの母の強い口調で「戻れ」「帰れ」と言われれば、それはもう凛子にとって「至上命令」以外何物でもなく、異を唱えることなどできなかった。

凛子は、「ピロポ」「クラブ花」「シェヘラザード」と夢のような三件の誘いを全て断って、長野に帰ることを決めた。

ただ、ママをしている「デロワ」をすぐに辞めるわけにはいかず、しばらくの間は勤めを続けることにした。

この間、凛子は並行して長野に出す自分の店の準備を進めた。

母の紹介で、打ち合わせのため東京に来た岡島仁建築士と一緒に、凛子は平河町の「北野アムース」というサパークラブなど都内でお気に入りの何軒かを案内。インテリアをはじめ店づくりの基本コンセプトに沿ったイメージを膨らませた。

また凛子は休みのたびに長野に戻って、客を装いバーやキャバレーを回りホステスを〝物色〟するなど、開店への動きを本格化させていった。店の名は—自身の名前そのままに「くらぶ凛子」とした。

店はオープンに向けて着々と準備を整えていた。

この日、凛子は、店の状況を見たいと言う赤石克也社長を伴って東京から長野に戻った。

凛子にとって赤石は恩人ともいえる最大の支援者で、母吟の居間で三人はお茶を飲みながら世間話に花を咲かせて寛いでいた。が……何気なく凛子が口にした言葉が吟の逆鱗に触れた。団らんは一転〝修羅場〟と化してしまう。

「いよいよ長野でお店を始めるし、何かとお金が要るようになるから、以前お母ちゃんに貸した一〇〇万円を返してほしいのだけど」

突如、吟がいきり立った。凛子も赤石も呆気にとられるほどの豹変ぶりは尋常でなかった。

「『うぬ』は、親に金返せってか！」

叫びながら立ち上がる吟は、「それが親に向かって言うことか。この親不孝者！」と言うが早いか、卓袱台(ちゃぶだい)を挟んで向かいの凛子の胸の辺りを蹴り上げた。

凛子も反射的に立ち上がって、身構えるようにして歯向かった。

「返す気がないなら、どうして『貸して』なんて言ったの。『くれ』って言えばよかったでしょ！」

激しく言い返してはみたものの、凛子の心はいたく傷ついていた。

母親が実の娘に浴びせた「うぬ」という言葉に衝撃を受けたのだ。これまで使ったこともなければ言われたこともない。凛子は、その意味さえまともには知らない。ただ、口を極めて相手をののしる言葉であることぐらいは察しがつく。

怒りに任せたとはいえ、そんな言葉を娘に浴びせる母の人格が悲しかった。

傍らにいた赤石が、凛子の服の裾を引っ張って座らせた。

「私が一〇〇万円をあげるから、お母さんと喧嘩してはいけないよ」と囁くようになだめた。しかし凛子にとって、あれは単に貸したお金というだけの問題ではなかった。

あの「一〇〇万円」は、凛子がようやく銀座で独り立ちできるようになった〝証〟でもあったのだ。初めてまとまった桁の金額で作った定期預金が嬉しくて、勇んで母の吟に電話をかけて報告した。

ところがその翌日、吟は凛子の懐を当てにして上京、「すぐに返すから、お金を貸して」と言った。凛子は、母が喜ぶのであればと大切な定期預金を解約して、一〇〇万円全額を貸したのだった。

あれからすでに二年が経っていた。母吟との信頼関係も最近は曲がりなりにもまずまず保たれている。今回の長野での出店は母も望んでいたことだし、予想以上に出費を強いられていた事情もあって、できれば返してほしいぐらいの軽い気持ちで口にした話だった。凛子に悪気などなかった。

この一件以来凛子は、長野に帰ること自体に気の重さを感じるようになっていたが、今さら引き返せないほどに出店準備は順調に進んでいた。

「今度、会員制クラブをオープンするんだけど、そのオープニングセレモニーを手伝ってくれない？」

神戸の大村浩市から、思いがけないオファーが入った。

東京と長野を行ったり来たりの凛子は何かと忙しかった。しかし、アメリカ招待旅行など今も随分とお世話になっている大村の頼みだけに、無下に断ることはできず、凛子はお返しを兼ねて一週間の約束で神戸に行くことにした。

須磨海岸の大通りに面した「ラジオ関西ビル」の二階全フロアを使った大村の会員制クラブは、ロビーラウンジに始まりナイトクラブ、麻雀ルームから浴室、個室までゴージャスに設え、銀座でも例を見ないようなシステムを整えていた。

もちろん、オープニングセレモニーも、想像をはるかに超える豪華な規模で、中でも角界から有名力士が大勢顔を揃え相撲甚句を披露するなど、それは盛大だった。

ところで凛子は、神戸でオープン準備を手伝う中で、ひょんなことから思わぬ人物を紹介される。

たまたま空いた時間を持て余していた凛子は、大村の友人で鎌苅という男性から「いい所があるから行こう」と誘われた。

出掛けた先は神戸市内のとある大邸宅。勝手知ったように玄関をつかつかと入って行く鎌苅の後を追うように従う凛子を、ここの屋敷主の夫妻が出迎えた。

鎌苅が得意満面で夫妻を紹介した。それによると主人は、日本最大の暴力団組織幹部の大親分だという。

夫妻は困惑する凛子を「かわいい、かわいい」と言って気に入り、昼食にはテーブルいっぱいに寿司を並べてご馳走してくれた。

会話の流れで凛子が「今度、長野で独立して店を持つことになりました」と話すと、大親分はこう言って〝応援〟してくれた。

「何かあったらいつでも私の名前を使いなさい。困ったことがあったら何でも相談に乗るから」と。

「くらぶ凛子」の開店まで一か月と迫ったある日、思い立った凛子は菓子折りを用意して出掛けた。出向いた先は、この辺りを仕切る暴力団事務所だった。

突然乗り込む形になった凛子を、どういうわけか一面識もない組長が迎え入れた。ヤクザ映画を想像していた凛子は肩透かしをくった感じで、どこにもいるごく普通のおじさんと変わらない組長と向き合った。

自己紹介など通り一遍の挨拶を済ませた凛子は、早速用向きに入った。

「この度、銀座から故郷の長野に戻り、クラブを開店する運びとなりました。自分の持っているもの全てを懸けての出店ですので、何としても成功させたいと思っています」

凛子は言葉に力を込める。

「つきましては、クラブが開店しても遊び人の方々に出入りされると、商売が駄目になってしまいます。どうぞ、組関係の方々の立ち入りはご遠慮いただきたく、親分さんにお願いに上がりました」

もったいぶった言い方は一切しなかった。そんな凛子に好感したのかどうか、組長は拍子抜けするほどあっさりと承諾した。もちろん、神戸筋の名前はおくびにも出さなかった。

開店までにクリアしなければならないハードルが、まだ凛子には残されていた。

ホステスの接待を伴うクラブなどは警察の風俗営業許可が必要だ。その中には、店を中心に一〇〇メートル以内に医療や教育関係施設などがある場合、同意書をもらわなければならないとする条項があり、「くらぶ　凛子」はこれに該当した。

長野県立図書館からはすぐに同意書をもらえた。

あと残るは開業医。その小坂医院を凛子は手土産持参で二回訪問し、近々クラブを開業することを丁寧に説明した。二度とも夫妻で応対した小坂医師は、嫌な顔ひとつ見せず二コニコと話を聞いてくれた。

ところが、同意書に署名捺印をお願いに訪れた三度目のことだった。快諾してくれるものと信じていた小坂夫妻は態度を一変、凛子の行く手を遮った。

「同意書は書けません」。けんもほろろに断られたのだ。

急変した事態に凛子は焦った。同意書がなければ開店はできない。何とか説得を試みようとしたが、夫妻は玄関から奥の部屋へと引っ込んでしまった。なおも玄関先で粘る凛子に、夫妻がとった手段は警察への通報だった。食い下がろうにも、凛子は駆け付けた警察官によって阻まれた。

暗礁に乗り上げた凛子は、人から人を介して頼んだ長野県医師会の仲介に一縷(いちる)の望みを託した。

これまでの経緯を凛子から聞いた県医師会の副会長は「よく分かりました」と頷(うなづ)き、「私どもの方から小坂先生にお話をして、同意書をいただけるように致しますので、ご心配なさらずに」と説得を約束してくれたのだ。

これで開店できる、とホッとした凛子だが、事はそう簡単に運ばなかった。しばらくして副会長から入った連絡は、ひどく落胆させるものだった。

県医師会の話にも小坂医師は貸す耳を一切持たず、同意書どころの話ではなかったというのだ。

「お役に立てなくて申し訳ない」。凜子に謝る羽目になった副会長によると、面目丸潰れの県医師会もこの度の小坂医師の応対には憤慨しているとのことだった。しかし、店の工事がすでに九割ほど終わっている状態の凜子にとっては、それで済む話ではないのだ。長野中央警察署にも相談したが取り合ってもらえない。思い余った凜子が「最後の手段」と頼んだのが、長野県警本部長への〝直訴〟だった。どこをどうやったら、こうした発想に辿り着くのか理解に苦しむところだが、死活問題が懸かった凜子は大いに真面目だった。

実際に凜子は県警本部に乗り込んだ。

本部長に面会を求めた凜子は、玄関払いされることもなく本部の〝応接間〟に通された。しばらくして現れたのは、本部長秘書の中里と名乗る男性だった。当然、本部長には会うことはできなかったが、中里秘書は凜子の話を最後まで丁寧に聞いてくれた。

後日、ほぼ開店準備の整った「くらぶ凜子」に、長野中央警察署の風俗営業課から大勢の署員がやって来た。

署員たちは二手に分かれ、一つの班は小坂医院二階にある入院患者室―当時、入院患者はいなかった―に集音器を持ち込み、別の班が店に陣取る。そして始まったのが騒音の測定だった。

店の玄関前で酔客を装った署員たちが、大声を出して車のドアを激しく閉める。店内では音響装置の音量をいっぱいに上げ、店の玄関ドアを開けたり閉めたり、さまざまなケースを想定して計測した。

その結果、騒音による周辺への影響は特になく、小坂医院の同意書云々は必要ないと判断された。

「くらぶ凛子」の営業は許可されたのだ。

暴力団事務所に乗り込んだこととといい、県警本部長に面会を申し込んだことにしても、凛子の怖いもの知らずの無鉄砲さが奏功し、「結果オーライ」となった。

後日談になるが、開店した「くらぶ凛子」の客となった県警本部の中里秘書は、店でたびたびこの一件を持ち出しては面白おかしく語った。

「ママは、いきなり県警本部に『同意書がもらえず困っている』と相談に来た。その行動力には驚かされたよ。未だかつて、こんな人はいなかったからなぁ」

ミンミンゼミの鳴き声が、暑さを何倍にも増幅させた雑音として凛子の耳に届いている。夏真っ盛りの開店間近いある日、凛子は四十度を超える高熱を出して臥せっていた。

後に「腎盂炎（じんうえん）」と診断されるのだが、発症初期はこれまで経験したことのない高熱で、ほんの一時間の間で寝間着を二回も着替えなければならないほど大量の汗が噴き出ていた。

お母ちゃんの傍にいたい──。一人自分の部屋で次第に心細さを募らせる凛子は、一階に居住する母の吟に頼み込んで居間に布団を敷いてもらい、そこに移った。

上がり切った高熱はやがて下がり始める。すると入れ替わるように今度は物凄い悪寒が襲ってきた。ガタガタと全身の震えが止まらず歯の根が合わない。まるで赤道直下から北極あるいは南極へ瞬間移動するような体調の激変は、日に何度も襲ってきた。

毛布にくるまり悪寒と闘う凛子の横で「暑い、暑い」を連発する母は、扇風機を全開にしている。

「お願いだから、扇風機を止めて」。娘の懇願を無視する母親。

凛子と吟の確執は今に始まったわけではないが、救いを求めたことを今さらに後悔し、病人のことすら顧みない吟の〝自己中〟を恨めしく思った。だが病気の全快とともに、母吟に抱いた凛子の憎しみは消えていった。

人には向き不向きがある。母は人一倍商売に長けているが、その分、育児や家事そして今回のような看病には向いていないのだから、仕方ない。

凛子は突如、寛容へと一転する──。これも激しく揺れながら母吟へと辿る、凛子のいつもの〝心の道程〟なのだ。

凛子が高校入学時まで実の父親だと思い込んでいた唐澤雄二から、突然「会いたい」と連絡があった。

雄二と吟は、凛子が小学三年生のときに離婚した。妹の由美子と弟の雄一の実父だが、凛子にとっては継父。この事実は、高校入学時に見た戸籍抄本で初めて知った。

それまで本当の父親と信じていた雄二に、凛子はいつも「虐待」と呼べる暴力を振るわれていた。こうした暗い記憶しか残っていないが、吟の先夫の子である自分のことが、嫉妬心もあって憎かったのだろう、と今は理解できる。

雄二と会うのは、吟と離婚して以来だから実に一五年ぶりだ。その歳月は、あの短気で気難しい雄二を柔和なイメージへと変えていた。

笑顔で迎えた凛子に、戸籍のことで頼みがあると言った。

雄二は再婚して男の子が一人いた。その息子の進学で戸籍謄本が必要となるのだが、凛子の名前が雄二の「養女」として記載されたままになっている。

そこで頼みたいのは、凛子に「戸籍から抜けてほしい」ということだった。

話を聞いていて凛子は、初めて戸籍抄本を見たときの記憶がよみがえった――妹と弟が母吟の旧姓「中園」なのに、凛子だけが「唐澤」姓。当時から何となく解せなかった。

吟が最初の夫、中園忍と離婚し、その後に再婚した唐澤雄二の戸籍に連れ子の凛子を「養女」として入籍していた。養子として入籍すると、父母が離婚しても戸籍に異動はない。養子本人―凛子が、二十歳になって意思表示しなければ除籍することはできないのだ。

戸籍に疑問を抱いた凛子が、いろいろな人に聞いたり調べたりして知ったことだったが、結婚すれば姓が変わるのだから、それまではこのままでいいか、程度にしか考えていなかった。

雄二の頼みを一も二もなく承諾した凛子は、戸籍上「中園」姓に戻った。


さまざまな障害を何とか乗り越えてゴール目前にまで漕ぎつけた「くらぶ凛子」だが、スルーできない難関が残ったままだった。

高い給料さえ出せばホステスはすぐにでも確保できる、と高をくくっていた凛子は、予想に反してまったく集まらない事態に直面して頭を抱えていたのだ。長野の女性はとても警戒心が強く、これと思った女性に声を掛けてもほとんど話に乗ってこない。

開店一〇日前にして決まっていたのは、男性店長のほかにホステスは実に二人だけだ。

そんな中で銀座で凛子のヘルプをしていた小松美恵子が、これを機に故郷の長野に戻り、「くらぶ凛子」を手伝ってくれることになった。

そしてもう一人、今朝美がいた。

「長野に連れてって」と泣きながら凛子にすがる今朝美だが、彼女を知る人たちからは、「絶対に連れて行っては駄目よ」とクギを刺されていた。しかし、喉から手が出るほどホステスが欲しかった凛子は、すべてを承知の上で連れて来てしまう。

しかも、今朝美が銀座の店に借金していた三〇〇万円も肩代わりした。彼女の保証人になってその店に紹介したのは他ならぬ凛子自身だけに、結果として律儀に責任を取った形になった。

銀座時代の知り合いで、あと一人「長野に連れて行ってほしい」とせがんだのが、「おなべバー」の克美。「長野に帰って独立する」と話す凛子に、「長野という土地に憧れがあるから、どうしても一緒に行きたい」と言ってきかなかった。

凛子は仕方なく克美の親に会って了解を得た後、マネージャーとして働いてもらうことにした。

それでも、ホステスは凛子を含めても五人に過ぎなかった。

「ホステスの数がそろうまで、長野に応援に行きます」

凛子の窮状を救ったのが、銀座「デロワ」のホステスたちだった。

凛子のヘルプをしていた彼女たちで、店が終わった後に食事をご馳走したり、「おなべバー」に連れて行って遊んだり、日ごろからとても大事にしていた。「デロワ」のママを務めながら長野での開店準備に奔走していた凛子が、ホステスが集まらないと、つい愚痴ってしまったことを覚えていてくれたのだ。

「私たち三人ずつが一週間交代で、泊まり込みで長野に行きますから、頑張ってください」と彼女たちは、こぞって「助っ人」に名乗りを上げた。

凛子は涙が出るほど嬉しかった。言葉に尽くせないほど感謝し、そんな彼女たちを誇りに思った。

こうして何とか急場を凌いだ「くらぶ凛子」は、予定どおり開店できる態勢を整えた。

「くらぶ凛子」は、母の吟が経営する「割烹陣屋」の玄関脇を行った突き当たりにある。入り口のガラス扉を開けると、地下の店内に通じる赤い絨毯を敷いた階段があって、同じく赤いイタリア柄の壁には、楕円形の大きな四枚の鏡が配置されている。階段を下り切り、花柄を施した摺りガラスのドアを押し開けると、そこが深緑の絨毯を敷き詰めたホールとなっていた。

店内に入ってすぐ左手にレジカウンターとキッチンカウンター。狭いステップを一段下がった右側に白いグランドピアノを配し、ピアノの縁に沿って曲線を描く形でやはり白いカウンター席が設けられている。

フロアの奥に向かってゆったり寛げるボックス席が五席。一番奥の壁側に一〇人掛けのソファーを作り付け、背後の壁の上部は全面鏡張りにして店内を広く見せるようデザインされていた。

天井や壁面に設置した洒落た照明具とスポットライトで店内を照らす。

白いグランドピアノのカウンター席を「くらぶ凛子」のメインに据えた凛子は、ピアノの弾き語りがどうしても欲しかった。

募集に応じて堀崎という男性が面接にきた。

ところが堀崎は、ギターの弾き語りで肝心のピアノは弾けない。それでは話にならないと断ったのだが、「ギターで弾く曲を聞いてほしい」の一点張りで、どうやっても引き下がらなかった。

頼まれると弱い一面を覗かせた凛子は、ピアノの弾き語りが見つからない事情もあり、堀崎の熱意にもほだされて採用することにした。

堀崎はとても器用でしかも努力家だった。ピアノは相変わらず駄目だが、ギターの弾き語りとしてのセンスはすごく良かった。またギターに加えて、必死に練習して弾きこなせるようになったマリンバをレパートリーに加えた。

さらに人脈を使って女性ボーカリストを探してきたかと思えば、有名ジャズマンを連れてくるなど、堀崎は「くらぶ凛子」に貢献し、ずっと共に歩むことになる。

店は曲がりなりにもオープンを待つばかりとなったが、今ここに至って凛子は頭を抱えていた。地元とはいいながらも長野にコネクションを持たない凛子は、招待状を出したくても送る先がまったく見当もつかないのだ。

しかし窮すれば通ずの例え通り、凛子得意の閃き（ひらめき）が道を開く。店の目と鼻の先にある長野県立図書館へと走った凛子は、『長野県紳士録』を探し、そこに名を連ねる長野市内の〝紳士〟を拾い上げて、くまなく招待状を発送したのだ。

銀座のホステスたちがいるクラブ――。

たちまち評判が立ったった「くらぶ凛子」は、開店から大勢の客が連日押し掛けた。その繁盛ぶりは、店への下り階段に客が列をなして待つという、クラブとしては考えられない光景を作り出した。

こうした状態は二か月ほど続き「くらぶ凛子」は長野の夜を席巻した。

凛子もまた、自分で何をしているのか分からないくらい毎日、夢中で接客に走り回っていたが、招待の初日から面目躍如の〝活躍〟を見せた。

見るからにヤクザと分かる着物姿の男が祝儀を持って現れた。もちろん招待なぞしていない。

早速、応対した凛子は、「お祝い、大変ありがとうございます。ですが、私どもは『遊び人』の方々にはご遠慮いただいておりますので、どうぞ今日のところは、お引き取りください」と丁重に祝儀を返した。

面子（めんつ）を潰された男はサッと目の色を変えた。眉を吊り上げて「祝儀を突っ返すとは、どういう了見だ！」と啖呵（たんか）を切り、一時は騒然となった。だが凛子は、最後まで毅然とした態度で押し通し、店内にヤクザを一歩も踏み入らせることなく追い返した。

それにしても凛子は多忙を極めていた。その一番の原因が、長野で開店した後も銀座の「デロワ」のママを続けていたことだった。

「すぐに辞められては困る」と引き留められ、長野と銀座の店を一週間交代で掛け持ちしている。一週間分の着物を車のトランクに積み込み、運転好きのマネージャーの克美をドライバーに、店が休みとなる日曜日を「移動日」に充てて往復していた。

ある日、一週間ぶりに銀座から長野に戻った凛子を待っていたように、地方紙の記者が訪ねてきて妙なことを口にした。

「先週の金曜日夜から、信州出版の田崎敬助社長が自宅に帰っておらず、行方が分からなくなっているのですが、田崎社長の行き先に心当たりはないですか？」

田崎社長といえば、長野の経済界の重鎮。それだけに行方の知れないことが公になれば大変なことになる。寝耳に水の凛子は驚いたが、それより、なぜ自分が記者からこのような質問を受けなければならないのか、合点がいかなかった。

「先週、一週間は銀座の店に出勤していたので、長野にはおりませんでした。私には思い当たることはありません」凛子は取りあえず答えた。

記者によると、今までに分かっている田崎社長の足取りは「くらぶ凛子」が最後だという。

「また、従業員に詳しく聞いてみますね」

凛子の言葉を潮時に、記者は取材を切り上げて帰った。

田崎社長は〝事件当日〟確かに来店していた。

「くらぶ凛子」の店は繁華街の権堂から少し外れている。歩いていけない距離ではないが、そうかと言ってタクシーを使うほど遠くはない。この悩ましい距離感に対応するため客を車で送迎するサービスをしている。

この夜、ボーイは田崎社長を車で自宅まで送っている。ボーイの話だと、当夜の田崎社長はかなり酔っていた。いつもの通り自宅へと直行したが、社長はまだ飲み足りないらしく、自宅前で「降りるのは嫌だ」と言って車の後部座席から動かない。

そして、やおら「権堂」に行くよう指示されたボーイは、仕方なく車をUターンさせて繁華街に向かい、権堂の四つ角付近で降ろした。

「その先は、どちらへいらしたか分からない」とボーイは言う。

凛子が聞いた話だと、当時「『くらぶ凛子』のママが田崎社長をどこかにかくまっている」といった類の憶測が、さまざまな尾ひれを付けて飛び回っていたそうだ。凛子はその〝フェイクニュース〟の発信元は、事情を聴きに来た記者本人じゃないかと推測していた。

田崎社長の居所は一週間後に知れる。

どこに隠れていたのか？　ボーイが車で送った先―権堂四つ角近くの料理屋の二階に〝滞在〟していたそうだ。

自宅に戻った田崎社長は、何事もなかったように出社し普段の生活に戻ったという。

これ以降、「くらぶ凛子」の常連だった田崎社長は、さすがに店に顔を出すことはなくなったが、凛子はパーティーなどでよく顔を合わせた。その都度、田崎社長は変わらぬ柔和な表情で、「その節はご迷惑をお掛けしましたね」とだけ言って、凛子のもとを離れていくのが常だった。

また、凛子宛に毎年届く年賀状にも、印刷された賀詞の左端に縦書きで「その節はご迷惑をお掛けしましたね」と、同じ文言が添え書きされていた。

几帳面にもこうしたパターンは田崎社長が亡くなるまで続くのだが、世を去る年、最後となった年賀状では書き添えた文字が小刻みに震えていた。その文字から受けた辛くも悲しい印象は、今でも凛子の脳裏に残されている。

高潔な人格と子どものような純真さを併せ持つ田崎社長は、凛子が深い感銘を受けた一人だった。

例の行方不明事件から間もなくして、店にステッキをついた着物姿の小柄な初老の男性がぶらりと現れた。後に凛子が「おじいちゃま」と呼ぶ、この人が「くらぶ凛子」にさらなる繁盛をもたらす〝福の神〟だった。

「ワシは、目が悪いからのう」。店に入るなりおじいちゃまは、凛子を天井から照らすスポットライトの下に連れて行き、光にかざすように凛子の顔を両手で挟んでしげしげと、そして「ふむふむ」と独り言のように……

「田崎君が好きになったという娘か。なかなか、かわいいのう」と、納得した様子で何度も頷いた。

この、おじいちゃまが信濃日日新聞社の小山武雄社長で、凛子が田崎社長をかくまったなどという噂を耳にして、たぶんに興味本位で訪れたのだろう。が、しかし、これをきっかけに小山社長は「くらぶ凛子」を大変贔屓（ひいき）にする。

当時、小山社長は県経営者協会の会長を務めていて、協会の集まりの折に「君たちは『くらぶ凛子』という店に行ったことはあるか?」と話題にしたことから、協会員たちがこぞって店に顔を出すようになった。

長野県の経済をけん引する経営者たちが続々と通う「くらぶ凛子」は、客筋の良さが評判となり、店の格式を否応なく押し上げていくのだ。

銀座「デロワ」に凛子が出勤していた日、「デロワ」をはじめ多くのクラブ経営を手掛ける東洋相互企業の町井久幸社長が来店した。

「ママは最近、長野にお店を出したそうだが、どうだね?」社長は何気ない様子で、テーブルに着いた凛子に近況を尋ねた。

町井社長がそこまで知ってくれていることに、凛子は正直驚いた。驚きはすぐに感激へと変わり勢い込んで悩みを打ち明けた。

「実は、女の子がまったくスカウトできない状態でとても困っています」

それから数日後、何の前触れもなく銀座のバリバリのスカウトマンたちが長野にやって来た。奥原、瀬下、中山という東洋相互企業の社員三人で、町井社長の命令で派遣されたと凜子に話した。

「女性の数が揃うまで、私たちが長野でスカウトをします。会社からは給料が出ますので、寝る所だけ提供していただきたいと思います」

まさか、と凜子は思った。何かを期待したわけでもなく酒の席での話に町井社長がこのように応えてくれるとは、露ほども考えていなかった。

それだけに凜子の喜びもひとしおだった。早速、店の裏手にある畳敷きで結構広い風呂付の部屋を三人に用意した。

スカウトマンたちは翌日から活動を開始した。長野市の繁華街にとどまらず松本や大町を含む周辺の市町村にも足を延ばしたが、東京とは勝手が違いなかなか成果を上げられずにいた。

保守的な地方都市の特性に阻まれて苦戦を強いられるスカウトの一方で、「くらぶ凜子」の評判を聞きつけて応募してくる女の子が、ぽつぽつと現れ始めていた。

そんな中で採用した一人に、弾けるようなピチピチとした若い娘がいた。「ネネ」と名付けたその娘に、凜子は直感でバニーのスタイル衣装を身に着けさせた。

頭にはウサギの長い耳が付いたヘアバンド、ノースリーブのワイシャツに蝶ネクタイ、黒いサテン生地のベストにハイ・レグ、網タイツというのが、バニー定番のスタイル。

ネネは最初こそ躊躇していたが、次第にバニースタイルが気に入るようになり、ついには嬉々(きき)としてフロアを行ったり来たりして評判になった。

さらに、凛子のこうした構想を膨らます新人が入る。東京から派遣された三人のスカウトマンたちが、新潟県まで出張ってようやく獲得できた唯一の娘だ。

小さな顔の割に大きくて真ん丸な瞳が印象的なショートヘアの小柄な娘で、凛子はある思惑からすぐさま「純」と命名。ネネと一緒にバニースタイルでデビューさせた。

客の案内や飲み物、オードブルなどを持ち運びして所狭しとばかりにフロアを縦横に動き回る二人組のかわいいバニーガールは、当時、歌謡ポップデュオ「じゅん&ネネ」の人気にもあやかって大評判になる。

まさに凛子の閃きがハマった。

ちなみに、三人のスカウトマンのうち、恋人ができて長野に居残った中山を除く奥原、瀬下は帰京。二人とも銀座でクラブの支配人となり、特に奥原は後年、個人で七、八店舗のクラブを銀座に持つ「大物」にのし上がる。

そのころ、凛子自らが熱心に口説き続ける一人の女性がいた。

彼女は、長野市の中心街にあるデパートの化粧品売り場でマネキンをしていた。フランスの女優、カトリーヌ・ドヌーヴを彷彿(ほうふつ)とさせる大人の雰囲気で人目を惹(ひ)いた。

凛子自身が惚れ込んで直接スカウトに乗り出していた。毎日、赤いバラの花一輪を持って「一度、お話を聞いてください」と彼女のもとに通い続ける。凛子が銀座に行っていて留守の間も欠かさず、支配人に赤いバラ一輪を届けさせるほど力を入れていた。四か月後、「くらぶ凛子」に彼女の姿があった。ホステスとしての源氏名は「麻衣子」。彼女が自分で決めた。

凛子は、不思議な気持ちで麻衣子を見つめていた。彼女はまだ二十一歳。凛子より三歳も年下なのだが実に堂々としている。面と向かって話すと、海千山千の凛子の方がどぎまぎとたじろいでしまう。

粘りに粘って麻衣子をスカウトした凛子の目は確かだった。彼女は、すぐに圧倒的な人気を誇るホステスとなる。それは凛子をして、客から一目置かれチヤホヤされる自分以外のホステスを目の当たりにする初めての経験だった。

驚きと戸惑いが同居する中で、凛子は肩の荷を下ろしたような感覚を味わっている。これまで、店の衆目を一身に引き受けていた凛子にとって、麻衣子はその重圧を分担してくれる存在になったからだ。

麻衣子の魅力は多くの男性客を虜にしたが、その中には歌謡曲の有名作曲家もいた。東京からわざわざ会いに来るのだが、その日の麻衣子は決まって午後十一時に早退して、作曲家と一緒にタクシーで帰るのだった。

当時、長野では「バー」とか「キャバレー」が主流で、「クラブ」と称したのは「くらぶ凛子」が初めてのようだった。

「バー」「キャバレー」「クラブ」同じ水商売として括られ、それぞれの違いの線引きは難しいが、凛子はそこにひとつの矜持を持っている。

——訪れる客の大切なひと時の寛ぎの場として、優しく楽しく意義ある会話でもてなし、満足が得られるような心配りをするのが「クラブ」と心得ている。

加えてクラブに必要なのは「信頼」。馴染み客から取引先などとの接待の場として利用される品格を備えた店であり、また接待された側の客にも満足のいくサービスを提供できるだけのノウハウを備えているかどうかも重要だ。

凛子が目指すクラブ像——そこには肉体的な色気などは介在しないのだ。

オープン当初は、酔いに任せてキスを迫ったり、あからさまに「触らせろ」と言ったりする客も結構いたが、そのような客は「くらぶ凛子」にはふさわしくないとして、凛子は毅然と対処した。

とは言え、客ばかりを責められない事情も抱えていた。ホステスのレベルに関しては、凛子が辟易（へきえき）するほど低かったのだ。

テーブルで客より先におつまみに手を伸ばし、むしゃむしゃとつまみ食いはするし、店内をバタバタ走るはで、何ともお粗末な振る舞いを平気でしていた。

「ママの店では、従業員にどんな教育をしているのかなぁ」。あるとき、腹を立てた客からこんなクレームが寄せられた。

その客は「好きなものを買いなさい」とホステスにデパートのカードを渡したという。客にしてみれば、きっとかわいい洋服とか貴金属とか、それなりに値の張るものを買うだろうと思っていた。ところが彼女がカードを使って購入したものといえば、ホウキにハタキ、バケツに洗面用具……「これじゃ、生活感丸出しじゃないか！」。

さらに、こんな別の話もあった。

ある客が、お気に入りのホステスを「東京に行こう」と誘い、グリーン車の切符を渡した。当日、客が乗ったグリーン車両には、まだ彼女の姿は見えなかった。そのうち乗って来るだろう、と思っていたが……。

待てど、暮らせど現れない。彼女が座るはずだった客の隣の席は空いたまま列車は出発した。結局その座席には途中の駅から乗ったおばあさんがチョコンと座った。と言うことは、と客は憤る。「切符を払い戻して、現金に換えたということじゃないか！」。

何だか滑稽な話に笑いをこらえながらも、凜子は平謝りした。

ホステスとして、客の夢を壊した彼女たちの行為は決して褒められたものではない。凜子は厳しく注意をしなければならないと実感した。だが頭ごなしに怒ると傷つくことは分かっている。実際に当人と向き合えば、屈託のない笑顔を前になかなか言い出せない。

彼女らはホステスとして恥ずかしい行為をしていることに気付いていない、知らない。だからこそ、たとえ傷つこうが守るべきは守ってもらわなければならない。自分が教えなければ誰が教えるのだ。

注意一つ与えるにもこれだけ逡巡する凜子には、それなりの決意が要った。

凜子は鏡台に向かい気合を入れて化粧した。キリッと髪を結い上げ、着物に帯をピシッと締め、戦場に赴くように覚悟を決めて彼女らと向き合った。

言葉を探し……、選びながら……。

店では、一か月に一度は必ずミーティングを行う。営業時に気を付けなければならないことなどを伝えるほか、銀座のクラブと同じように「ナンバーワン」を称える。

凜子が決まってホステスに求める一番のことは、女性としての立ち居振る舞い。これがきちっとさえしていれば、顔もスタイルも自然と綺麗に見えてくることを知ってほしいと思っている。

店以外の日常でも、プライベートでも身だしなみを整える大切さを教えた。

「昼間に化粧もせずに街を歩くと、狭い長野ではいつお客様と出くわすか分からないし、またそうしたことが多くある。そのときに、お客様の夢を壊さないような格好で外出しなさい」

これまでの自分に重ねて〝将来設計〟も説いた。

「私たちの仕事は、華やかで一般の職業より高収入が得られるけれど、退職金もないし、いつまでもこの収入が得られる保証もない。だから、今稼いでいるお金はくれぐれも貯金するように。あした、もし病気になったとしてもしばらくは生活できるだけのお金を貯めてから、欲しい物を買ったり遊んだりしなさい」

口が酸っぱくなるほど繰り返し「堅実生活」を求めた。


当時、長野の店では銀座と異なり「キープボトル」のシステムがなく、飲み物の注文といえばほとんどがビールだった。このため「くらぶ凛子」では、ビールの値段を高めに設定する一方で、「サントリーオールド」を主流に格安でボトルのキープを勧める戦略を立てた。そして、ちょっとオシャレなネームネックレスをぶら下げたキープボトルを流行らせた。

このころ毎晩、店に通い詰める常連客が七、八人はいた。

その中の一人、西野建設の西野郁造副社長は一晩に二回は店に顔を見せた。

一度目は早い時間帯に客を連れて来店する。接待が終わると、いったん会社に戻り仕事を済ませる。それから帰宅となるのだが、良いのか悪いのか帰路の途中に「くらぶ凛子」がある。

午後十一時過ぎ、誰かが店の中を窺うようにおずおずとドアが半開きになる。ちょっと間を置いてニコッと悪戯っぽい笑顔が覗く。西野副社長、二度目の来店だ。

凛子はじめホステスたちも心得たもので、ドアの陰からひょこんと顔を出した瞬間を見逃さない。「お帰りなさい」とは言わないまでも、西野副社長は引っ張り込まれるように店内に誘導されるのだった。

後々、凛子は西野副社長夫人と会った際に、夫人からこのような話を聞かされた覚えがある。深夜帰宅した西野副社長は、「今日は凛子ちゃんがいたよ」とか「いなかったよ」などと、夫人に報告するのが日課だったそうだ。凛子は光栄に思った。

西野建設には設計の奥宮部長という常連客もいて、二人はよく店で一緒になった。仕事上のことでたびたび喧嘩腰になるのだが、最後にはニコニコしながらその場を収めるのが副社長だった。

このほかにも毎晩来る客で、佐久市の菅沼医師とか戸倉町の山口製作所や柳島商事の社長は、仕事などで上京した帰りには降りる駅を長野まで乗り越して店に来てくれた。

凛子がいつも慈愛を込めて見つめる〝三人組〟の客がいる。

定期的に店で待ち合わせる丸光食品の春日井、守田商会の守田、信州電鉄の笠木といった社長三人で、はた目にも「心温まる仲間」と映る。

初老を迎えているこの「三人組」は、店で一時間ほど子どものように仲睦まじくおしゃべりをして帰る。「僕はね」とか「君ね」とか、とても上品できれいな言葉遣いで周りを穏やかに包み込む空気感を漂わせた。また守田社長はその都度、和歌や詩を書いて凛子にプレゼントした。

飲食代は常に割り勘というのも好感が持てた。それも名の知れた社長三人が、それぞれに財布を取り出して各々の料金を支払う。ほほ笑ましいこの光景が、凛子はたまらなく好きだ。

大人数で訪れるJＣとかロータリークラブをはじめ、「くらぶ凛子」は長野の政財界をはじめ全国規模の大企業とその支社や関連会社、官公庁の出先機関まで幅広い客層に支えられるようになった。

それでも開店間もないころは不安ばかりが募り、「割烹陣屋」を経営する母の吟が、二次会の客を紹介してくれることを願っていた。しかし、そんな凛子の淡い期待は見事に裏切られる。

吟は事もあろうか、逆に「『くらぶ凛子』は高いから行かない方がいいですよ」と親切を装って、「凛子」への足止めをしていたのだ。

娘を応援するどころか足を引っ張る実の母親に、凛子は苦虫を噛み潰したような不快さを感じたが、幕を開けてみると予想をはるかに超える大繁盛。頼る必要もなくなった吟への恨みも腹立たしさも消えた。

ただ、高校を卒業していない凛子は、銀座時代と同様に教養の大切さを身に沁みて感じていた。新聞や雑誌、本を片っ端から読み漁り、辞書と首っ引きで知らない漢字や言葉の意味などを調べた。

特に、客が掲載された記事を経済紙誌などから探すのが楽しみだった。切り抜きした記事を来店の折に本人に見せることで喜んでもらえた。

東京から凛子に付いて来てマネージャーとして頑張っている「おなべバー」の克美は、普段から口数が少ない子だった。その克美が珍しく話したいことがあると、驚くべき事実を口にした。

今朝美が、長野と東京を一週間ごとに行き来していることに、「くらぶ凛子」を乗っ取ろうと企み、克美に計画を持ち掛けたというのだ。

克美は今朝美とレズビアンの関係にありながら、「彼氏」が「彼女」の悪だくみを告発した事実は重く、信ぴょう性は高かった。加えて、東京から来ていたスカウトマンの中山からも同じことを告げられ、もはや疑う余地はなかった。

実際問題として、店の乗っ取りなんてできるはずもない荒唐無稽な話なのだが、凛子にしてみれば怒り心頭に発する今朝美の〝陰謀〟だった。

「長野に連れてって」。今朝美の泣き落としに負けた凛子。その際に借金を肩代わりした三〇〇万円にしても、まだ一銭も返してもらっていない。

思えば思うほど腹立たしさで体内の血液が逆流する。

だが一方で、恩知らずの今朝美には何度も煮え湯を飲まされ、恩を仇で返されているはずなのに性懲りもなく、周囲の反対を押し切って今朝美を長野に来させた。

嫌な思いをしたことは忘れてしまう、自分のバカさ加減をつくづく嫌悪する凛子だが、今回の一件で今朝美の性根にほとほと愛想が尽きた。

「今回は絶対に許さない」。怒りがふつふつと湧き上がるのを、凛子は止めることができなかった。騙され続け、裏切られ続けた挙句、いったん堪忍袋の緒が切れたときの凛子は、冷酷な判断もいとわない。

「もう、あなたには我慢ならない。今すぐ出て行ってちょうだい！」

有無を言わさず、今朝美を切り捨てた。

騙すより騙される方がましだと、自分を納得させてきた凛子でも、制御が利かず今朝美を即刻「クビ」にした。住み込んでいた凛子の家からも出て行かせたものの、やはり後味の悪さばかりが残っていた。

どこかむしゃくしゃして浮かない日を送る凛子のもとに、「ぜひ会ってほしい」と一人の男性が訪ねて来た。

銀座八丁目の店で働いていたという男性は、新沼武士と名乗ってから「自分は、勤めていた店の金を使い込んでクビになりました」と身の上話をするように淡々と自己紹介した。

「今さらながら後悔をし、反省もしております。二度とこのようなことはしないと誓います。どうか、この店で雇ってもらえませんか」。深々と頭を下げた。

さらに話を聞くと、長野に店をオープンした「日向千恵」という人を頼るといいよ、と知人から教えられたという。凛子は、その「知人」に心当たりはなかったが、銀座での源氏名を知っているところをみると、まったく無縁とも思えなかった。

金の使い込みでクビになったことを正直に打ち明けたところに好感を得た凛子は、新沼があか抜けていることに加えて、銀座を知っていることでホステス教育にも役立つだろうと考えた。

「部長」の役職を与えて、新沼に働いてもらうことを決めた。


レズビアン関係にあった今朝美の〝追放〟に一役買ったマネージャーの克美が、「とても面白い人を見つけたよ」と言って、凛子を喫茶店に誘った。

見知らぬ初めての長野で寂しさを紛らわすように、昼中あちこち散歩している克美は、善光寺に通じる中央通りのちょっと坂に面した小さな喫茶店のドアを、勝手知った感じで開けた。

全体的に白で統一された店内のカウンターで、にっこりほほ笑んで凛子たちを迎えたのが「おかま」、今で言うニューハーフ。爪に薄いピンクのマニュキュア、同じ色の口紅を引き薄化粧を施し金髪に染めている。その〝男性〟は、細長い指先をくねらせて花瓶に花を活けていた。

彼は決して〝美人〟の範疇ではなかったが、姿や仕草に変ないやらしさはなく女性より女性らしく見えた。軽い感じで会話を楽しめて気配りも行き届く、その彼は「こうちゃん」と呼ばれていた。

「おかま」をしている彼のポリシーにも触れて好感した凛子は、直感で「この人は売れる」と確信した。

こうちゃんと克美に、こんな提案をした。

「ねえ、二人で『おかま』と『おなべ』の店をやったらいいいんじゃないの」

二人は悪ふざけでもしているように、大喜びして凛子の勧めに乗っかった。

こうと決まれば動きは速い。店舗探しを始めたと思ったら早速、南県町の通り沿いにある住宅ながらも格好の物件を見つけ、一気に賃貸契約を済ませた。

一方、凛子は凛子で、銀座時代にヘルプのホステスたちを連れてよく通っていた「おなべバー」と連絡を取っていて、開店前の準備段階から手伝えるようにと、三人の「おなべ」が長野に引っ越して来る手はずを整えた。

ごく普通の住宅をスナックに改装する工事―その作業のほとんどをこの五人で行った。

こうして手作りの深夜スナック「ちんちら」はあれよ、あれよという間にオープンにこぎつけた。

スナック自体が当時の長野では珍しく、営業時間がモーニングコーヒーから翌深夜の三時までと長い。その上「おかま」や「おなべ」がやっている店ともなれば、話題性に事は欠かない。開店から連日超満員となった。

しかし皮肉なもので、あまりの盛況ぶりが災いして店の寿命を縮めてしまう。

原因は真夜中の騒音。店内から響く音楽にバタン、バタンとタクシーのドアの開閉音、酔っぱらいの喚き声。さらには騒音とは考えにくい皿洗いのカシャカシャという音まで、苦情が隣近所から湧き上がった。

長野市の公害課から指導が入るなどして、「ちんちら」は一年足らずであえなく閉店の憂き目にあった。

これを好機と捉えたのが凛子だった。

こうちゃんと克美コンビのスナックは「当たる」ことを実証したのだからと、二人にリベンジすることを勧めた。

早速二人は、自分たちで経営する独立した店を目指して動き始めた。騒音を気にしなくても済む繁華街に場所を移転、開店を待つばかりとなった。

「店名はママが付けてよ」。感謝の気持ちから凛子に〝名付けの親〟を頼んだ二人だったが、「ママの好きな曲だから」と言って、その曲名を取って店の名前を「ジュテーム」とした。

目論見（もくろみ）通り、スナック「ジュテーム」は大成功を収める。

次に凛子が着目したのは、宴会場などで女性たちが接待に当たる「コンパニオン」という、長野ではまだ馴染みのないシステムだった。

凛子は、大宴会やパーティーの会場となるホテルに営業を仕掛け、面会した支配人に「宴会などの折のコンパニオンの手配を、私に任せてくださいませんか」と申し入れた。

コンパニオンの要請が次第に増え始める。ホテル以外にもさまざまな宴会場を請け負うようになった凛子は、昼間はホステスたちをコンパニオンに差配するなど、本業以外にも営業活動の場を広げていった。

母親譲りともいえる商才を遺憾なく発揮し始めていた凛子に、母の吟は一切協力しようとはしなかった。

それでも母を慕い、褒めてもらいたい、喜んでもらいたい、その一心で凛子は長野に帰って以来、毎月「これ、小遣いにして」と一万円を母に渡していた。ところが、毎月の小遣いを喜んでくれたのは、わずか最初の数か月のことだった。凛子がうっかり渡し忘れようものなら、母は眉間の立った険しい顔つきでそれは厳しく催促した。

まるで取り立てられているような嫌な気がしていた凛子は、ついに堪忍袋の緒が切れた。

「喜んでもらいたくてお母ちゃんに一万円を渡していたけれど、最近のお母ちゃんは、それが当たり前だというように催促までしてくる。私はそれがイヤなの。だから、もう渡すのは止めるわ！」

一万円もあげているのに、その甲斐もないという思いが、ついつい上から目線の尊大な物言いになってしまった。

この一件が引き金になったのかもしれない。しばらくして凛子は母からこんなことを言われてしまう。

「お前が店として使っているビルの地下部分を二〇〇万円で買い取りなさい」

地下に関しては、店が出せるように用意してあるから長野に戻って来い、と言ったのは母だ。だから凛子はその気になって、三件の望外なオファーを蹴ってまで銀座から長野に戻る決心をした。

そこには「親」の言葉に「子」が従う自然な親子の相関図が、凛子の頭の中に描かれていた。従って店のある地下が母の所有するビルであったにせよ、使用料など金銭絡みの問題が親子間で発生することなど、凛子は端から考えてもいなかった。

地下の買い取りを迫られるなんて……。

断ち切るところまでは行かないまでも、親子の絆――これまでも、あったのかどうか怪しいが――は、希薄になっていくのを凛子は肌で感じていた。

母に渡していた一万円を偉そうな言い草で打ち切った凛子は、あの際のツケが回ってきたのだと唇を噛んだ。

母吟の凛子に対する理不尽さは今に始まったことではない。以前、凛子が店の開店資金の足しにと、母に貸金の返済を求めたときに「うぬ」呼ばわりされてショックを受けた、あの一〇〇万円もそのままだ。

かねてから腹に据えかねていた憤まんが今まさに噴き出す、すんでのところで凛子は思い留まった。

どの道「くらぶ凛子」は私が経営していくのだから、買い取ってしまった方が後腐れないだろう――と、凛子は考え直したのだ。

ともかく母娘の間で売買契約が成立した。母の言いなりの二〇〇万円を現金で支払った凛子は早速、地下の分筆登記を済ませた。

「くらぶ凛子」は、長野で一番という評判を得ていた。仕事で県外から長野を訪れる人たちの接待の場として、頻繁に使われるようになっていた。

四菱電機の近藤貞和社長をはじめ四菱自動車、富士山通商、昭和乳業の役員から、池田内閣の所得倍増計画立案に携わった経済学者の下浦治や国会議員ら日本の産・学・官を代表するような中央の錚々(そうそう)たる顔ぶれ――。そんな著名人らが、一地方都市のしかも繁華街から外れて〝ポツンと一軒家〟的なクラブに幾夜となく出入りした。

銀座でなくとも地方で一番になると、日本で一流の人たちとも知り合えて、同じ目線の会話を楽しむことができることを知った凜子は、不遜にも、雲の上のような存在の人たちへの妙な親近感を覚えた。その立場に月とスッポンほどの違いはあるが、一流企業の経営者も私も根本のところでは、同じようなことで悩んでいるということだった。

凜子はまた、当時としては珍しかった店主催の「ゴルフコンペ」を始めた。長野カントリークラブに一〇組以上の参加者を集めて開催し、毎年大盛況だった。

こうした中で、日曜日を移動日に充てて、長野と銀座のクラブを一週間ごとに行き来して勤める生活もほぼ一年となり、さすがの凜子も体力に限界を感じ始めていた。

そして昭和四十六年の夏、ついに「デロワ」を正式に辞めた。凜子は、長野の「くらぶ凜子」の経営に専念することになったのだ。

そんなある日のことだった。右城俊がいきなり店に現れた。凜子はあまりに突然のことに飛び上がるほど驚き、同時に熱いものが体中を駆け巡った。

長野の暴力団から抜けさせて一緒に東京に出て暮らしたが、ホステスを辞める、辞めないで結局は別れた右城。

凜子が長野でクラブを始めたことを風の便りに聞いた、と右城は言い、凜子もまた、嫌な思い出は全て頭から〝消去〟していた。別れた後も監視され続けたことも、よりを戻そうと脅されたことも、きれいさっぱりと記憶の彼方に追いやって、右城の素敵だったところばかりがよみがえってきた。

「やっぱり今でも右城のことが好きだ」。口にこそ出さなかった凛子だが、弾ける嬉しさにそのことを気付かされた。

昔からモテモテだった右城のことだけに、当然結婚はしているだろうと思いながらも、あえて触れずに近況を尋ねた。

水商売を辞めて、今は東京で外車のディーラーをしているという。すっかり堅気になっている右城を心から喜んだ凛子は、売り上げに少しでも協力できればと思い立ち、彼から外車を買うことにした。

早速、いま乗っている「ブルースカイラインＧＴ」のハードトップを下取りに出し、黄色地に黒の縦線が入った「マスタング」に替えた。

「くらぶ凛子」の営業は順調だったが、凛子にとって長野の夜は静かすぎる。日本一の不夜城、銀座と比べるのもどうかと思うが、日々の仕事が終わった後の凛子は、心にぽっかり穴が開いたみたいな物寂しさをいつも感じていた。こうしたカルチャーショックを紛らわすため、独りで深夜ドライブに出掛けることが多かった。

ある夜、ドライブの途中で目に留まった深夜喫茶に入った凛子は、聞くともなく自分の噂話が耳に入ってきた。

カウンター越しに男性客がママに話している。

「『くらぶ凛子』のママは、銀座で勤めていて一か月に三〇万円も稼いでいたそうだよ。すげーなぁ」

自分が話題になっている。コーヒーを口に運ぶ凛子は、何だか自尊心をくすぐるような面映ゆさを感じながらも、心の中でつぶやいた。

「失礼しちゃうわ。私は三〇万円じゃなくて三〇〇万円稼いでいたのよ。一桁違うじゃないの」

車好きの凛子が呼び込んだような出来事もあった。

東京の竹縄工務店の専務を道路まで見送りに出た凛子は、そこに〝待機〟している乗用車が目に入った。それはすばらしい外車だった。思わず「素敵な車ね」と何度も口にする凛子に、専務は信じられないことをさらっと言った。

「そんなにこの車が気に入ったなら、ママにあげるよ」

「エッ、ホント⁉」

狐につままれたように呆けた面持ちの凛子に、専務は「本当にあげるよ」と念を押すように言うと、惜しげもなく車のキーを凛子の手に握らせて、さっさと帰って行ってしまった。

外装がシルバー、内装は赤い本革張りのシートに木製のハンドル――。それは高級車の「ジャガー」だった。

半信半疑の凛子だったが、そこは車大好き人間。喜んでジャガーを乗り回した。だが、そのうちに問題のあることも段々分かってきた。

半端なことでは済まない駐車場問題から維持費にはじまり、凍てついた道路でのスリップやバッテリー上がりなど、いくら高級な外車でも信州の厳しい冬場は乗り越えられなかった。

扱いにてこずった凛子は、春の訪れとともにジャガーを専務に返上。こうして、降ってわいたような〝おとぎ話〟の幕は閉じられたのだった。

「くらぶ凛子」は、ますます繁盛していた。

他人よりいい生活をしたいと思うなら、他人と同じことをしていては駄目。情熱を持って他人以上の努力を積み重ねて仕事をすることをモットーに、懸命に頑張っている凛子を突然、異変が襲う。

兆候など、まったくなかった。

朝起きてみると、店に出るのがすごく嫌になっている自分に気が付いた。天性の社交に長けた凛子の体が、震えるほど人と会うことを拒否していたのだ。

ここにいる限りは人と会わないわけにはいかないと考えた凛子は、急かされるように志賀高原へと人目を避けて向かった。

あれほど夢中になって心血を注ぐ仕事を放り出して逃避した先は、「志賀高原丸池観光ホテル」。しばらくは期間を決めずに滞在することにした。

逗留を決め込んだ凛子のもとには、家政婦―弾き語りの堀崎の母親と店の事務員が毎日、料理を詰めた重箱を届けてくれる。その際に、ママ不在の店の様子もつぶさに聞くことができた。

凛子は朝から晩まで本を読みふける。合間にホテル近くの池の周辺を散策するのが日課になっていた。

今から考えれば、あれは完全に「うつ病」だった。

二か月余りも陥ったうつ状態の凛子を救ったのは、ジャンルを問わず読み漁った本のうち『人は何故生きるのか』という一冊の仏教本だった。

―なぜ、私は今ここで立ち止まっているの？

すっと霧が晴れるように、もやもやしていた頭の中に透明感が戻った。これまでの無気力が嘘のように凛子の心は奮い立った。

「さあ、店に戻らなくちゃ!」やる気モードがリセットされた。

後日、復帰した凛子は、滞在していた志賀高原丸池観光ホテルを借り切り、主だった客を招いて煌びやかな一晩のパーティーを催し〝復活宣言〟した。

その男性は、凛子より十五歳も年上だった。

少し太り気味の体にフィットしたスーツをお洒落に着こなす。恥ずかしがり屋さんだが、茶目っ気たっぷりの仕草や笑顔がかわいらしい。それより何より「ものすごく優しい」彼の魅力に、凛子はグイグイと引き寄せられていた。

彼の名は森泉良介、森泉工業の社長。もちろん家庭を持っている。

凛子と良介は不倫に陥ったのだ。

「私は『大人の男』として責任を持って付き合っているのだから、心配しなくてもいいよ」。不倫という関係にためらいを見せる凛子に、いつも良介は口癖のように言っていた。

焦がれるほど良介を好きだったが「仕事第一」を信条としている凛子は、結婚など考えたことも望んだこともなかった。

良介と一緒の時間に浸っていたい――。ただ、それだけだった。

だが凜子には、東京から月に一度、決まった日にやって来る赤石克也がいた。銀座時代からの特別な支援者で赤石工業の社長だ。夜は「くらぶ凜子」でホステス相手に銀座の自慢話に花を咲かせ、日中はゴルフを一緒に楽しみ、一泊して帰京する決まりだった。

凜子は赤石の存在を打ち明け、また良介も承知していた。

しかし良介への気持ちが深まるにつれて凜子の体が、赤石を次第に遠ざけるようになる。赤石が長野に来る日は、店を休んで居留守を使ったり、良介と温泉に出掛けたりすることが多くなった。

「好きな人ができましたので、別れてください」。凜子は何度も赤石に言おうと思った。だが、申し訳なさが先に立ちどうしても言い出せなかった。

こんな自分を棚に上げて凜子は、随分と身勝手な言い分を胸に抱え込んでいた。「いい加減、逃げ回っている私の様子を悟って、赤石の方から自然に去って行ってほしい」と。

それでも当の赤石は、凜子がいない部屋に一人泊まり、腹を立てるでもなく文句を言うでもなく、月一の〝定期便〟を律儀に守っていた。

良介は、赤石が泊まる日と自分が出張で長野を離れる日を除き毎晩、店か凜子の部屋に通った。ベッドの中で凜子が寝入るのを見届けてから、真夜中に自宅へ帰る。昼食時には会社から凜子の所に来て食事した。

凜子は良介の愛情に包まれて幸せだった。

ある朝、目覚めた凜子の目の前で、家政婦の堀崎がエプロンの裾で顔を隠して必死に笑いを抑えていた。

何が何だか分からずキョトンとしている寝起きの凜子に、おかしさをこらえ切れずにプッと噴き出した堀崎は、鏡台にあった手鏡を持ってきて差し出した。

手鏡と向き合う凜子。黒縁の真ん丸眼鏡に口髭、見たこともない女のような顔が映っていた。

何コレ⁉　ダレ？　滑稽すぎる造作の自分の顔をしげしげと見た。これでは堀崎ならずとも誰もが笑い出してしまうだろう。誰の仕業か、考えるまでもない。犯人は明らかだ。

昨夜の凜子は、飲めない酒をしたたか飲んだ。ヘロヘロに酔っぱらい部屋に戻るなり文字通り「バタンキュー」の状態。部屋で待っていた良介と話すこともできないほど正体をなくしていた。

そう、良介腹いせの〝渾身の作〟だ。「美人だね」と言われても、「面白い顔だね」とは言われたことがない凜子は、情けないやらおかしいやらで、泣き笑いした。

良介の悪ふざけは、これだけでは収まらない。

朝、起きようとした凜子は、下着を着けていないことに気付いた。掃除のときに家政婦の堀崎に見つけられるのも嫌だと思い、ベッドの下から布団の中まで探したがどこにも見当たらない。諦めかけて見るともなく部屋をぐるりと見回した凜子が、ふと向けた視線の先にそれは「あった！」。何と、パンティーが棚の上の人形の頭に被せられていた。

思い出しても自然と笑いが込み上げてきて一人クスクスと笑ってしまう。こんなところにも発揮される良介の茶目っ気に心和ませる凜子は、ますます惹かれていくのだ。

しかし一方で、激しく衝突することもある。良介の嫉妬心が噴出するときだ。「くらぶ凜子」の閉店は深夜十二時。店のビル三階に住む凜子が、閉店後三〇分以内に帰らないと良介の機嫌がすこぶる悪くなる。その〝門限〟が過ぎると決まってバトルが始まる。

言い争いが高じて暴力沙汰になることも。良介が手を上げれば凜子もやり返す。そして凜子は、三階からバタバタと音を立てて一階に降りて行き、寝ている母の吟に助けを求める。母の仲裁で二人は仲直りして一件落着となる。

何だかんだと言っても、結局は母を頼る凜子がそこにいるのだ。

「ながの南急デパート」の鹿野社長が、南急グループの〝総帥〟三島昇の長男、哲を接待して「くらぶ凛子」を訪れた。

凛子を見るなり「母と似ている」と打ち解けた哲は、その後も飯山市の斑尾高原を開発している藤井観光の社長子息、大川正夫と二人で時々店に顔を出すようになった。そのうち「ウチの哲が気に入ったママは誰かな？」と言いながら、三島昇本人も店に顔を見せた。

当時、日本商工会議所の会頭でもあった三島は「この店は『長野の夜の商工会議所』だね」と言ってたいそう気に入り、長野に来るたびに必ず「くらぶ凛子」に立ち寄った。日本の「財界四天王」の一人に、このような表現で店を褒められ光栄の至りの凛子は、早速「くらぶ凛子」のマッチ箱に「長野の夜の商工会議所」のロゴを入れた。

このキャッチコピーは大反響を起こし、タバコを吸わない客からも欲しいという声が相次いだ。ロゴ入りマッチ箱を持っていることが、ひとつのステータスとなっていたのだ。

いくら順風満帆の「くらぶ凛子」といえども、いつ逆風に晒されるのか分からない際どさを常に孕んでいた。

「くらぶ凛子」にも〝派手〟な常連客は何人かいる。その一人が、部下を連れて週に三日は顔を出す国鉄管理局の某部長だった。

派手な飲みっ振りといい、常軌を逸する豪遊ぶり――。銀座で一流クラブのママとして鳴らしさまざまな客を見てきた凛子は、この部長の危うさをビンビンと感じ取っていた。凛子は折を見て新沼部長を呼んだ。

「いつ踏み倒されてもいいように、毎回の会計で対処しておくようにしてね」

思いも寄らない指示に、新沼は目を丸くして異を唱える。

「あんなに堅い所にお勤めの部長さんなのに、踏み倒される心配などしてどうするんですか。余分にお金を取っておく必要はないでしょう」

「いいから、私の言うとおりにしておいて！」凛子は厳しく言い置いた。

こんなやり取りがあってから二か月ほどが経った、ある日の早朝、凛子はかかってきた一本の電話で起こされた。興奮気味にまくし立てる新沼の声が受話器から響いた。

「ママ、今朝の新聞見ました？　ママはすごいですよね。例の部長が会社の金を横領して警察に捕まっていますよ」

キャリアを積んだ凛子の直感によって損害を辛うじて免れた。

「今日は、女の子たちはどうしたの⁉」

いつになく落ち着きを欠いた凛子の声が、ガランとして行き場のない店内に飛んだ。

　この日も同じように三階の自宅から地下の店に出勤した。いつもなら店を開ける準備のホステスたちで活気に満ちているはずの店内は、静まり返っていた。そこにいたのは、きのう入ったばかりの新人ホステス一人と会計係の娘、それにバンドの堀崎の三人だけ。部長の新沼は「外歩き」しているそうで姿はなかった。

　愕然とする凛子に、追い打ちをかけるように堀崎の説明は衝撃だった。

「今朝美が権堂に『シーバー』というクラブをオープンさせて、ホステスを『凛子』から引き抜いていきました。残ったホステスたちも、今朝美から高額で今日の開店の手伝いを頼まれたらしくて……、皆休んでいます」

　凛子は信じられなかった。血の気が失せていく自分が分かった。

「こんなときに部長もいないって、どういうことなのよ！」。苛立ちは新沼にも向く。ひょっとしたら新沼は、今日のことを知っていて、わざと出掛けているのではないだろうか。それとも、八方美人の新沼のことだから、今朝美と一緒に開店祝いでもしているのではないのか。

　今朝美は、どんな言葉を使って女の子たちを勧誘したのだろうか──。凛子の疑心暗鬼は際限なく増幅していく。

これだけ大事にしている麻衣子が、どうして「凛子」のことを考えずに手伝いに行ってしまったのか。

考えれば考えるほどに迷路にはまり込んで理解不能に陥った。

今日の営業はどうしよう……。

おののく自分に、これまで培ってきた自信が音を立てて崩れていく気がした。奮い立たせようとしても気力が伴わないまま、恐れていた時間が容赦なくやって来た。

ドアが開いて最初の客が店内に姿を見せた。

普段と明らかに違う店の雰囲気に戸惑いを隠せない様子の客――。凛子はたじろぎながらも繕うこともせず、こうした言葉掛けをしていた。

「今日は女の子一人と私しかおりませんので、十分なおもてなしができないと存じます。それでもよろしかったら、ご飲食代はいただきませんので、どうぞ……」

ママとしての体面を保つ咄嗟の応対は、後から続く客にも好意的に受け止められた。が、しかし凛子は、ホステスのいない理由を説明しなければならなかった。

「権堂に新しくできた店に、女の子たちを引き抜かれたらしいです。とても恥ずかしいことですが……」。心細る思いで吐露した。

ところが客は一様に「頑張れよ」と励まし、飲食代を受け取らない凛子に「ご祝儀」を置いていった。客の温かい心配りに、胸に熱いものが込み上げてくるのを凛子は抑えられなかった。今夜のお客様は、「神様」に思えたのだ。

今朝美は、知り合った当初から凛子の真似ばかりして羨ましがり、ひとの物を何でも欲しがった。一方で今朝美は、ホステスとして素晴らしい素養があった。これまでにも凛子がたびたび騙(だま)されてきたように、言葉は巧みで演技も一流、歌も見事に歌いこなす。その上、客扱いは飛び抜けて上手だった。惜しむらくは、今朝美には誠実さの欠片(かけら)もなかったことだ。

事もあろうに恩義を感じてしかるべき「くらぶ凛子」の乗っ取りを企て、これを知った凛子に店を辞めさせられている。

自分の悪だくみを棚に上げて私を恨んでいるだろう、と凛子は思うのだが、その今朝美にホステスの引き抜きを見事なまでに許してしまった。

どのような甘言を弄したのか……。凛子は、したり顔の今朝美を思い浮かべて悔しさのあまり歯噛みした。

凛子は幾度となく今朝美の窮地を救ってきた。

嘘と知りつつも泣き付かれればその都度お金を貸し、その果てに全て踏み倒された。端から返済する気など毛頭ない今朝美にすれば、お金を持っていてお人好しの凛子を騙すことなど、赤子の手をひねるよりたやすい。「まんまとせしめた」くらいにしか思っていないはずだ。いや、それどころか「手柄話」にでもしているのかもしれない。今朝美のどこを探しても「罪悪感」などありゃしないのだ。

次から次へと恨み辛みが湧き上がる。

あれだけ面倒を見ながら、感謝されるどころか恨みを買う私って何なのかしら？　凛子はいわれのない自己嫌悪に陥る中で、はらわたが煮えくり返っていた。

今朝美は「くらぶ凛子」で知り合った男性客をパトロンにし、「凛子」のシステムをそっくりそのまま取り入れて、クラブ「シーバー」をオープンした。

栃木県宇都宮出身の今朝美が、長野に腰を落ち着かせてクラブを始めたことに、凛子は魚の小骨が喉に刺さったような不快さを覚えた。

同じ水商売を生業としている凛子と今朝美は対極にある。見え透いたお世辞のひとつも言えない不器用な生き方しかできない凛子は、むしろ言えたとしても、そんな自分を卑下し許せないだろう。

その場しのぎがうまくて、人を食い物にしてのし上がる今朝美が「成功者」となるならば、ただただ真っすぐに生きてきた真逆の凛子は、その存在を全否定されたのと同じになる。

凛子は、暗澹たる思いで自分の将来におののいた。

目の前にいる洗練されたかわいい女性を一目見て、凛子は大いに気に入った。ある男性客が付き合っている彼女を「店で働かせてほしい」と言って、東京から連れて来たのだ。引き抜きにあってホステスが足りない折だけに大歓迎だった。彼女は、とみ子と名乗って店に出た。凛子の見立てどおりに客の受けは良く、すぐに人気ホステスとなった。

ところが、働き始めて二週間ほど経ったその日から、とみ子は突然店に出てこなくなった。電話を入れたりアパートまで訪ねたりしたが、連絡は一向に取れなかった。

そんなある夜のこと、店がはねた後に客と連れ立った凛子は深夜スナック「シャガール」で、自分たちが座った後ろの席にいたとみ子を見つけた。

驚くことに隣にはあの今朝美の姿。二人は「シーバー」の客と思しき男性たちと談笑している、

とみ子が今朝美と……⁉　目の前の状況をどう理解したらいいのか、凛子は一瞬考えを巡らせた。意を決してとみ子の後ろにしゃがみ込んだ凛子は、客に気取られないよう、そっと背中合わせに尋ねる。

「とみちゃん、ずっとお店を休んでいるけれど、どうしたの？」

咎められたように硬い表情のとみ子は、伏し目がちに黙ったまま凛子を見ようともしない。代わって隣の今朝美が白々しく口を挟んだ。

「ママ、うちの店の娘に何か御用ですか?」

えっ。わざと驚いたように聞き返す。

「今、お宅の店の娘と言いましたが、とみ子は『くらぶ凛子』の従業員で辞めてはいませんよ。本人からも辞めたいと言われていませんしね」

そうこうやり取りしていると、いつ現れたのか二人の暴力団員が凛子を挟むように両側に立っていた。「今朝美ママが、うちの店の娘だって言ってるじゃあねえかっ!」。凄みを利かせて怒鳴る。

このままでは周りに迷惑が掛かると思った凛子は、連れの客を先に帰してから、臨戦態勢に入って声を張り上げた。

「まだ、うちの店を辞めていないって言ってるでしょ!」

いつの間にか姿を消したとみ子と今朝美に入れ替わって、強面（こわもて）の男たちが五人に増えていた。肩を怒らせて威圧的に凛子を取り囲む。

怖いもの知らずの凛子はひるむことなく男たちを見回すと、後ろ手にウイスキーボトルを握っている一人に目が向いた。途端にむらむらと怒りが湧いて――

「女一人に、こんな物を持つのか！」

こう叫ぶが早いか凛子は、着物の裾をたくし上げウイスキーボトルを目掛けて蹴り上げた。本革草履を履いた右足の一撃は、凛子自身も驚くほど見事にボトルをヒットし、ボトルは男の手を離れて近くのストーブへと飛んだ。

ボワッと立ち上がる炎に一瞬、後ずさりしてひるむ男たち。が、そこはヤクザ。ひるんだ反動で逆に形相を変えて凛子に掴みかかろうとした、その瞬間。

「ちょっと待った！」。一人の男が間に割って入った。まるでヤクザ映画みたいに。

仲裁に入った男は酒元登。かつて凛子の恋人で今は外車のディーラーをしている右城俊が、暴力団員だったころの兄弟分だった。さらに騒ぎを聞きつけて別の暴力団、森組組長が組員を引き連れて乗り込んで来て、騒動は一段と大きくなる気配を見せた。

一瞬、どうなることかと思った凛子だったが、組長と酒元が一緒になってこの場を収めたお陰で事なきを得た。

しかし凛子は悔しかった。結局、とみ子は今朝美の「シーバー」に引き抜かれてしまったという事実だけが残った。

森組長にも酒元に対しても、凛子がお礼に出向くことは一切なかった。後々関わりを持ちたくない、というのが本音だった。

夜の世界は、反社会勢力と絡み合う環境にあるのも現実で「くらぶ凛子」にも、触手を伸ばす組織が後を絶たなかった。「うちの組で、お宅の店の面倒をみてやるから毎月の『みかじめ料』を払え」とか、正月の松飾りを買えなどと押し売りに来る。断ろうものなら、態度を豹変させて凄まれるのだ。

その都度、凛子は「折角、お声を掛けていただきましたが、私どもは神戸で面倒をみてもらっておりますので結構です」と言って断る。

確かに凛子は店を出す際、神戸の大親分から「何か困ったことがあったら私の名前を使いなさい。何でも相談に来なさい」と言われていた。この言質は頭の片隅に留めているが、実際に頼る気などつゆほどもなかった。

凛子はまた「神戸」と言うだけで、具体的に組の固有名詞を口にしたことはなかった。しかし面白いことに、「神戸」だけが独り歩きして「『くらぶ凛子』には手出しできない」との暗黙の了解が、夜の長野界隈に自然と出来上がるのだ。

こうして、みかじめ料などで悩まされることは一切なくなる半面で、凛子には再びホステスにかかわる新たな問題が絡みつく。

無断欠勤を続けるホステスのアパートを新沼部長と訪ねた凛子は、部屋の中の信じ難い光景に呆然と立ち尽くした。

刺青をした半裸の男と、意識がもうろうとしたホステスの姿があった。凛子たちを見ても二人は、夢遊病者のように部屋の中をうろつくだけ。ホステスは焦点の合わない目を向けるが呂律も回らない。

後で分かったことだが、二人は覚せい剤をやっていたのだ。

凛子は、セピア色のフィルム映画にスローで映し出されたシーンを見ているような錯覚に陥った。

「しっかりしなさいよ！」。新沼と二人で、ホステスの頬を叩いたり肩を揺すったりしたが、されるがまま首が前後左右にグニャグニャと振れるだけだった。

このホステスは、凛子の方針にしっかり従って着々と売り上げを伸ばし始めている。堅実そうに見えた彼女がいつ、どこで、どうして、こんなヤクザと関係を持ってしまったのか。どう考えても合点がいかなかった。

後日、凛子は正気に戻った彼女と向き合った。聞くところによると、男と付き合い始めてまだ日が浅かった。凛子は二人を別れさす方向に導いて彼女を納得させた。

ところが相手はヤクザで、こうした別れ話には役者が一枚も二枚も上だ。当人同士の話し合いともなれば、脅したりすかしたりで男の手の平で踊らされるのがオチ。別れるなんてできはしないのだ。

ホステスに代わり、凛子が話し合いに臨んだ。

落としどころは決まっていた。何度も同じような別れ話をまとめてきた凛子には、それが「手切れ金」であることを十分承知しているし、相手もまた同様だった。

そして三〇万円で片が付いた―と、凛子は思っていた。だが男は、ホステスと別れたことを後悔していた。男は店が始まる夕方になると連日、黒塗りの乗用車三台を店に乗り付け、入り口前の路上に停めて威嚇するようになったのだ。

夜なのにサングラスを掛けて後部座席にふんぞり返り、運転席の男の後ろ肩辺りに両足を投げ出す示威行動で、ガムか何かをグチャグチャと下品に噛みながら、別れたホステスの名を挙げて「呼んで来～い！」と、大声で喚き散らし始める。

「営業妨害だから帰ってちょうだい」。凛子はその都度、車の所まで出て行く。

こうした悶着が続いて五日目。例によって凛子と押し問答をしていた男が突然、運転席に投げ出していた両足を引っ込め、運転手の顔を覗き込んで騒ぎ始めたのだ。

「ポリが来たじゃねえか。早く車出せ！」と怒鳴りながら後ろを何度も振り返る男は、焦りまくって車を発車させた。

呆気にとられた凛子は、男が叫んだ警察官を慌てて探してみたが影も形もなかった。男は幻覚を見たらしかったが、凛子はあらためて覚せい剤の恐ろしさを目の当たりにした。以来、男たちは現れなくなり、そのホステスも屈託ない笑顔を見せてしっかり働くようになった。

反社会的勢力との関わりを頑なに拒む凛子は、それだけに組員とのトラブルは少なくはなかった。

少し遅れて店に出た凛子は、入店を断っているはずの〝その筋〟と分かる二人の男が、ホステスたちと盛り上がっているのを見咎めた。

すかさず、テーブルに着いているホステスたちを下がらせた凛子は、事を荒立てないよう極力抑えた口調で、「遊び人の方々には、うちの店のご利用を遠慮していただいています。この辺りでお帰り願いませんか」とお願いした。

店から出て行くようにやんわり促したつもりだが、「はい、そうですか」と素直に従う相手ではない。

「きちんと金を払って飲んでいるのに、どこが悪いんだ」。案の定激高し始めた。

このままでは埒が明かないと踏んだ凛子は、何と実力行使に出たのだ。体の小さい方の男の襟首を掴んで啖呵を切った。

「どこの組のモンじゃ！　うちの店は出入り禁止だと親分に話を通してあるんだよ。あんたらがここで騒ぐということは、親分に恥をかかせることになるんだぞ。あんたは何組で、名前は何と言うんだ」

凛子は無謀にも、襟首を持ったまま小柄な男を玄関先まで、階段を引き摺り上げた。文字通り首根っこを押さえられた男は、「何しやがるんだ！　コンチクショウ」、「こんな店、ガタクッテやるぞ！」などと、負け犬のように大声で喚く。

「やれるモンなら、やってみろ！」

売り言葉に買い言葉の凛子は男を蹴る。男は引き摺られて上がってきた階段を今度は転がり落ちた。すると入れ替わるように、もう一人の男が駆け上がってきたと思った瞬間、何も言わずに分厚い手の平で凛子の左頬をガツンと殴った。

手慣れた感じの一撃はかなり強かったはずだが、興奮のあまり痛さを感じない凛子は、咄嗟に脱いだ草履を手に取って殴った男を叩き返そうと身構えた。

「ママ、止めてください！　今、交番に電話しましたから」

叫びながら店の新沼部長が、凛子を羽交い絞めにして止めた。同時に店に来ていた東郷警備保障会社の佐藤支社長が、凛子を守る体勢で間に立ち塞がり男と対峙した。

階段を蹴落とされた小柄な男がようやく上がって来たのを潮時とみた二人の男は、虚勢を張り捨て台詞を吐きながら肩を揺らして帰って行った。

その直後、交番から駆け付けた警察官に被害状況を聞かれ、興奮冷めやらぬ凛子は荒い息で、「ここを叩かれました」と頬を指差して訴える。それでも収まらない様子の凛子を制したのが新沼だった。

「いやいや、うちのママも手を出していますので、ここはもう結構です。お手数を掛けました」と警察官に頭を下げた。

引き上げる警察官を見送り店内に戻る凛子を待っていたように、佐藤支社長はこんなアドバイスを口にした。「ママ、ああいう時の『やれるモンなら、やってみろ』という言葉は、後で彼らの罪が軽くなってしまうから、言わない方がいいよ」。

佐藤支社長に大立ち回りを一部始終見られてしまった気恥ずかしさを隠すように、凛子は「じゃあ、『何とかお止めください』って、すがり付かなければいけないの？」とおどけてみせた。

しかし、凛子は心の中でつぶやいていた。

「私にはそんな真似はできないわ」

翌朝、目覚めた凛子は、昨夜の〝修羅場〟を思い返して体の震えが止まらなかった。

殴られたのが平手ではなくて、もしナイフだったら左頬はざっくり切られていたに違いない……。自然に手が左頬をなでていた。

そう、私は高をくっていたのだと、凜子は深く反省した。ヤクザ絡みの問題は、男が出て行くよりは女の私の方が事を丸く収められるに決まっている。「女を相手に手荒なことはしないだろう」との計算も働いて、凜子が常に前面に出て対応してきた。

渡り合ったこれまでは、思惑通りに事がうまく運んでいた。それが昨夜の一件で、甘い考えであったことが露呈した。凜子はヤクザの恐ろしさを、身をもって知ったのだ。

母の吟が珍しく神妙な面持ちで凜子の居間に顔を見せた。

「どうしたの?」。変だなと思った凜子は声を掛けると、母は告白するように話し始めた。「割烹陣屋」で働く仲居の夫が持ち掛けた〝うまい話〟に乗った母は、騙されて白紙の手形に署名捺印をしてしまった。後日、三〇〇〇万円の金額が書き込まれたその手形を持って「善意の第三者」と称する宮里という男が現れ、母に支払いを請求したのだという。

ところが宮里は後日、凜子のところにも額面三〇〇〇万円の手形をちらつかせてやって来た。このため、かつてなく消沈する母の代理として凜子が交渉に当たる羽目になってしまった。

宮里は客として「くらぶ凛子」に出入りしているので、凛子も前から知っていた。ガソリンスタンドや旅館などを経営していて、自宅金庫には常に一億円の現金がある、と羽振りの良さを吹聴していた。

噂によればその実、裏社会に詳しいブレーンを多く雇い「金貸し」が本業との話もあって、凛子は「ブラック」な印象を持っていた。

さらに宮里は以前、十九歳と若い店のホステスを口説き落として衣類から貴金属、家具などを買い与え、マンションに囲ったことがあった。だが、ホステスは宮里との生活に耐えられず、わずか一週間で「別れたい」と言い出して、結局は文字通り体ひとつで放り出された。

嫌な相手に引っかかったものだ、と思いながら交渉の席に着く凛子は、途方に暮れていた。初めて臨む手形絡みの交渉に、駆け引きのノウハウさえ知らないのだ。

白紙手形について、宮里が盛んに強調する「自分は善意の第三者」すら嘘で固めた筋書きで、裏では仲居の夫とつるんで仕組んだ〝詐欺〟だ、と凛子は確信している。

しかし、それを証明するものは何もなく、手形自体が本物なのだからどうすることもできない。今できることといえば、「金額を負けてほしい」と懇願するしか術がなかった。実のところ、それさえもてこずっていた。

そんな中で交渉の突破口になりそうな出来事があった。交渉するため訪ねて来た宮里が、凛子の部屋に入るなり金蒔絵の骨董品「殿様用火鉢」に目を止めた。そして手形の話はそっちのけで、「気に入ったので、どうしても譲ってほしい」と言い出したのだ。

手放す気などこれっぽっちもなかった凛子だが、行き詰まっている話し合いが穏やかに進展するのであればと考えて、宮里の希望どおりに売ることを決めた。

だが思惑は見事に外れた。この後も交渉に進展はなく暗礁に乗り上げたままで、凛子の手には到底負えなくなっていた。

最終的に弁護士を立てて、一〇〇〇万円を支払う形で「示談」に持ち込んだものの、払わなくてもいい金を奪われたことに変わりはなかった。

目から鼻へ抜けるやり手の母がなぜ、白紙の手形に署名捺印をするという初歩的なミスを犯したのか、凛子には合点がいかなかった。

母吟の無知が招いた代償は大きかった。

どういうわけか凛子は、またぞろ〝拉致被害〟の当事者になってしまう。

その日は、午前中に銀行へ行く予定を立てていた。道路を挟んで店の斜め前の駐車場に向かい、車に乗り込もうとしたそのとき、若い男が凛子にすっと近づいた。手にはナイフを持っている。

男は、凛子の脇腹にナイフを押し付けて、「車に乗って、運転しろ！」と命令した。凛子は言われるままに運転席に座ると、男はナイフを片手に素早く助手席に乗り込んだ。男の顔に見覚えがあった。店で男の席に着いたこともあり、そのときの印象を凛子は、笑顔がとても子どもっぽくてかわいいと思ったことを覚えている。ところが、ホステスたちから聞いた話で「ヤクザ」だと分かり、それからは入店を断っていた。

ナイフを突きつけられた凛子は「ここをまっすぐ行け」とか「そこを右に曲がれ」とか、行き先も告げられず指図されるがまま車を走らせた。いつしか周りは見知らぬ景色に変わっていて、心細さを増した凛子は黙っていられなくなった。

「一体、どうするつもりなの？　どこへ行くのよ」

「黙って運転しろ！　俺の言うとおりにしろ！」

荒れ狂ったように男は、大声で喚き散らしてナイフを振り回す。狭い車内での狂気に凛子は生きた心地がしなかった。

絶望感に支配されながら運転を続ける凛子に、しばらくすると男は急に謝り始めた。

「ごめんな、ごめんな。こんなことをして」

態度を一変させて優しく言う。しかし……「それじゃあ、ここから私を返して」の凛子の言葉が男を豹変させた。恐ろしい形相でいきり立つ本性がむき出しとなる。

男は、一定の時間を置いて激しい感情の起伏を繰り返し、「悪」と「善」の間を行ったり来たりする。翻弄される凛子の気力は萎えていく。

「昼飯の時間だ」と男は突然言った。

ステーキ店に入るよう凛子を促す男の〝情緒リズム〟は、穏やかな周期に入っていた。店内では人目が足かせになるのか、安定状態を保っている。

凛子はこの機会を逃さなかった。

「こんなに長い時間、家に帰らないと皆が心配するので、家に電話させてちょうだい」

「いいよ！」

男は拍子抜けするほどあっさりＯＫした。気の変わらないうちに凛子は急いで店の公衆電話に向かった。かけた先は、日中でも誰かしらいる「くらぶ凛子」。都合よく部長の新沼が電話口に出た。

まず、ヤクザに拉致されていることを伝えた凛子は、どこか分からない場所を運転させられ、連れ回されていること。現在ステーキレストランにいて、今のところは一応無事であることを口早にしゃべった。

しかし、言えたのはここまでで、警察に通報すべきか、どのような助けが必要なのかなど、肝心なことは何ひとつ相談する余裕はなかった。

レストランを出て車に戻ると、男は再び情緒が不安定な状態に陥った。

例によって訳もなくナイフを振り回し、足をバタつかせて騒いだと思ったら今度は、ぐずぐずと泣き始めて盛んに謝る。

「こんなことをして、ごめんな」と言い出すときは、家に帰してくれそうになる。そこで、いざ車を止めようとすると男は、狂気に目覚めたようにナイフを凜子の脇腹に強く押し当てた。

私は殺される――。そのたびに恐怖に襲われた。

夕闇が迫ってきたのを見計らって凜子は「これからどうするの?」と、男の考えを探るように尋ねた。

すると男は初めて「一緒に新潟へ行って、二人で暮らすんだ」と〝拉致目的〟を明かした。新潟に連れて行く気なんだ!「もう、この人からは逃れられない」。凜子は諦めの境地に入りかけていた。

ところが、男の指示通り運転してきた車は直接新潟に向かうでもなく、なぜか長野市街地に。それも家の近くの「長野信用金庫大門支店」辺りに来た。

そのとき凛子は、観念した様子を見せながら一計を案じて言った。「分かったわ。あなたと新潟に行くことにするわ」と、逃げ出す口実を作った。

「でも、着の身着のまま新潟に行っても、私は働かなければならないから衣装が必要になるでしょう。だから今から家に衣装を取りに行ってくるわ。あなたは、私の荷造りができたころに家の前まで迎えに来てよ」

「分かった」

男の返事を聞くか聞かないかの間に、凛子は車からさっと降りた。数百メートル先の家を目指して一目散に走る。

「お母ちゃん、助けて！」

叫びながら玄関に入るなり、母吟の部屋の押し入れに飛び込んだ。歯の根が合わないほどの恐怖がよみがえってきた凛子は、できる限り身を縮ませた。真っ暗な押し入れの中で時間が止まっているのか、進んでいるのかの感覚も定かではなかった。

いきなり男の怒声が凛子の耳をつんざいた。

「凛子ママを出せ！」

男が「割烹陣屋」に押し入ったのだ。

「娘は、ここには来ていない」と言う母と揉めている。そのうちに割って入る新沼部長の声が聞こえてきた。続いて駆けつけた警察官の気配――。

男は警察に連行された。それでも、凛子の体の震えはいつまでも続いた。

後日、凛子は警察で事情聴取された。男を罪にすれば、後で仕返しされるのではないかと怖かったが、拉致された一部始終を包み隠さず話した。

凛子が助けを求めて逃げ込んだ先は、今回も母の吟の懐だった。


昭和四十八年、世界中が第一次オイルショックに見舞われていた。日本では、メディアが連日トイレットペーパーの買い占め騒動などを報じて、盛んに恐慌感を煽っていた。

経済不安のさなか、凛子を「銀座で一番の女にする」と公言して、惜しみない支援を続けてくれた東京の赤石工業の赤石社長から、「会社が倒産した」との電話が入った。

明石は「財産のすべてを失った。あなたとの関係もおしまいだ」と告げた。

凛子が長野に戻ってからも赤石は毎晩のように銀座で豪遊していた。最近では、アメリカのラスベガスからフランク・シナトラ直筆の招待状が送られてきて、カジノで大金をつぎ込んだなど威勢のいい話を聞いていた。

それだけに凛子は、倒産をにわかに信じられなかった。

「倒産っていうけれど、ラスベガスに何度も通うほどの大金持ちなんだから、いくら急激な経済不況でも、多少の隠し財産はあったでしょう」

「それが、何も隠す時間がまったくなかったんだよ」と、赤石のため息が聞こえた。

「長野のあなたの所に置いてあるフォードの車も会社名義なので、『会社更生法』によって差し押さえられるからね」

朴訥な人柄の赤石が、誠実を絵に描いたような好人物であることは百も承知だが、今回の倒産劇を聞く限り会社経営者としてあまりにもとろく、機転の利かなさに凛子は呆れた。そうであっても掛ける言葉に窮した凛子は、絞り出すような相槌を打つほか方法を持ち合わせていなかった。同情する以外は……。

その後も赤石は、電話で近況を時折知らせてきたが「友人宅を転々としている」生活を続けていて、一年の間に三回ほどお金を無心された。

凛子の前ではいい恰好しかしてこなかった赤石は今、その立場を替えて凛子の送金に頼る。この厳しい現実を前に凛子は、胸の詰まる思いで一回につき五〇万円を振り込んだ。それでも、これまでに赤石から受けた援助を考えれば、とても「恩返し」などと言えるものではなかった。

さらに凛子が寂しさを覚えたのは、赤石への送金先が毎回違う東京の「郵便局留」だったことだ。あれほど銀座で札びらを切っていた人が、未だ住居も定まっていないことを〝証明〟するようなものだったからだ。

最終的に赤石は、実家のある福島県会津に帰った。

農地跡で子どもと一緒にミンクの飼育を始めたとの連絡があったその際、赤石が電話口で言った言葉が凛子には切なくて、じわぁっと目じりに涙を滲ませながら聞いた。

「ミンクの飼育を成功させて毛皮が取れるようになったら、あなたの欲しい物は何でも買ってあげるからね」

「くらぶ凛子」の常連客、大下工業の大下社長から凛子は一人の紳士を紹介された。この紳士は「くらぶ凛子」を随分気に入ったとみえて、初めて訪れたのに「店の株を持とう」と言って、懐から財布を取り出し現金三〇万円をポンと凛子に手渡した。

日本屈指の商社で大阪に本社のある日航商事の専務、海保八郎といった。

以来、海保専務は金曜日の夜ともなれば、当時「海保軍団」と呼ばれた一〇人前後の取り巻きと一緒に来ては店を賑わした。長野市郊外の飯綱高原に最近建てた別荘に宿泊し、翌朝から別荘近くの長野カントリークラブでゴルフを楽しんだ。

社内でも飛び抜けた切れ者とされる海保は、あの海運王オナシスとの商談にも携わるなど世界を股に実力を発揮していて、「次期社長」との呼び声も高かった。

店にいるときの海保は「企業戦士」のそぶりも見せなかった。自分からはほとんどしゃべることもなく部下たちの騒ぎに目を細め、ゆったりとパイプ煙草をくゆらせて寛いでいた。

凛子はあるとき「愛読書は?」と聞いたことがあった。

「聖書」笑いながら優しい眼差しで答えた。

「何か歌ってください」

〽うさぎお〜いし、かのやま〜ぁ……

凛子のリクエストに応えて歌うのは、決まって信州ゆかり—長野県中野市出身の高野辰之作詞の文部省唱歌「故郷」だった。

黒字紋付のお引き摺りに日本髪を結って「正月」を迎える凛子は、一年のうちに巡る節目、節目に店を盛り上げるための演出に心掛けている。

二月の節分は、店の全員が仮装する「節分のお化け」に始まり、四月の「桜まつり」、七月「七夕まつり」、秋には「紅葉まつり」、そして十二月は「クリスマスパーティー」といった具合。

こうしたイベントの案内状は当たり前、初めての客への自筆の礼状にはじまり、ご無沙汰の客宛にはご機嫌伺い、年賀状に暑中見舞いなどなど、凛子は筆まめに便りを出した。

凛子はある面で、アイディアマン特有の〝閃きのクリエイター〟だった。

銀座時代には、「水割り」と言えばウイスキーだった当時、酒にめっぽう弱い凛子が考え出したのが「ブランデーの水割り」。当初は客に「邪道だ」とも言われたが、しばらくしてテレビCMでブレイクした。

長野でも、新しい目線のサービス企画を連発する。

その一つが、ユニークな「誕生日プレゼント」。

客の生まれた年と月と日にち、まさに生年月日の当日、世界や日本で何が起きていたのか――一目瞭然。その年月日発行の新聞の一面をコピーして、誕生日祝いにすることを思いついた。

凛子は、地元の新聞社に出向いてコピーが取れるように手配して、誕生日に着くように送った。これを一年間続けた。客には珍しがられた上、大変喜ばれたことは言うまでもなかった。すると凛子のアイディアは、新聞社が企画した「記念日新聞」として形になった。

また、常連客への暑中見舞い。こちらも意表を突いていた。

スズムシの里で有名な信州安曇野・松川村から、籠に入れたスズムシを涼やかな音色とともに送ったのだ。常連客本人に加えて子どもや孫など家族からも喜ばれ、後に郵便局の「ゆうパック商品」として籠入りの鈴虫が売り出された。

このほか、凛子のおもてなしの心は、バレンタインデーのチョコレートに添えた一筆箋

「このチョコレートが溶けないうちに、お顔を見せてね」の文面にも反映されているとして、なかなかの評判を得た。

凜子と森泉良介との付き合いは、不倫という世間的な後ろめたさを除けば歳月の経過とともに深くなっていた。正月、GW、旧盆といった長期の休みには二人で海外旅行を楽しんだ。

内密の旅行だったが、こうした時期に海外旅行する日本人の行き先はほぼ定番化されていたため、知り合いにばったり出会ってしまい、お互いにどことなく気まずい思いをすることがたびたびあった。

凜子はこうした経験から面白いことを学んだ。

旅行先で知り合いとまともに顔を合わせた場合は安心できる。その相手は出会ったことをほとんど口外しないものだ。が、反対に厄介なのは、気付かないうちに〝目撃〟されていたケースだ。相手は鬼の首を取ったように大いに吹聴するのだ。

良介と一緒の海外旅行は凜子を至福の境地に誘った。加えて凜子の知識を豊富にさせ、それが店での会話に幅と奥行きを持たせた。海外旅行は、仕事への一段の冴えと心身のリフレッシュをもたらす〝薬効〟ともなっていた。

銀座時代を顧みると、あれよあれよという間に「ナンバーワン」に上り詰めた凛子は、本来サービスすべき立場なのに、いつの間にか客に持ち上げられる立場に変わっていた。ほんの「顔見せ」程度のあいさつでも客は満足してくれたのだ。

夕方、出勤した凛子は、事務所に直行し売上金の清算を済ませた後、店の裏手にある喫茶店に行く。新聞を読んだり同僚とおしゃべりに興じたりしていると、ボーイが「お願いします」と言って呼びに来る。

店に戻った凛子は、客に形ばかりのあいさつをしながら、誰々を「ヘルプでご接待させますので、よろしく」と言い残す。同じように何組か客のテーブルを回る凛子。

その姿に、かつて客を誠心誠意もてなしていた接客態度は影を潜めていた。

それでも土曜日の営業ともなれば、一五席のうち一〇席ほどは凛子の客で占められた。銀座の客は自分が贔屓にしている女性が「ナンバーワン」か、あるいは「ママ」であることに鼻を高くする風潮があった。

その凛子が長野の「くらぶ凛子」では、どの客に対しても十分なおもてなしを第一に考えるよう心掛けた。会話を大事にして心から満足してもらえるよう、オーナーとして店の客席全体に目配りすることを怠らなかった。

母の吟は、仕事もプライベートも充実していた凛子に嫉妬でもするように「おまえが住居としている三階を一五〇万円で買い取りなさい」と出し抜けに言ってきた。

親と娘の間で、地下の店に次いで今度は住居かと思うと、凛子は腹立たしかった。母の店「割烹陣屋」の経営も順調なはずなのに、何でそんなにお金が必要なのか理解できない。店を買わせたことで味を占め、さらに娘から金を搾り取る算段なのだと、疑念が渦巻く頭で凛子は「また母とごたごたもめるより、お金で片が付いて後腐れがなくなるのなら、言うことを聞いてやった方がいいのかもしれない」とも考えた。

胸のむかつきを抑えつつ凛子は、居住する部屋を言い値で買い取り分筆登記した。

この後も母は、自分が建てた三階建てのビルを細切れにして、次々と凛子に買い取らせた。そしていつしかビル全体が、相続を待つことなく凛子名義になった。


「東京からの帰りなんだけれど、電車で隣に座った女の子が『長野で働きたい』と言うので連れてきたんだ」

常連客が凛子のところに、若くて清潔な感じのする女の子を伴って来た。

赤いビニールの小さなボストンバック一つの女の子は、何を聞いても言葉少なに答えるだけで要領を得ない。

家出かな？　凛子に感じるところがあった。

母に高校を中退させられ家出して東京に着いた夜、働き口を頼んだタクシーの運転手に連れられて板橋のバーに行った—あのときの自分の姿が、今ここで俯いている女の子と重なった。

とりあえず凛子は自分の部屋に女の子を泊めた。

彼女の持ち物から東京の住所と電話番号を知った凛子は翌朝、彼女の親元に電話した。

「娘さんは今、長野にいますよ」。凛子は母親に伝えた。

娘の家出を知っていたようだった。さほど驚いた様子もなく淡々とした言葉が母親から返ってきた。

「そちらで、そのまま娘を働かせてもらえませんか」

どこの誰かも確認せず、見ず知らずの電話の相手にこんな頼み方をする。よほどの事情があるのだろう、と凛子は母親の心情を慮った。

「お母さんがそう言うのなら、娘さんをお預かりします」と引き受けながら、肝心なことを確かめた。

「ところで、娘さんはお幾つですか?」

「十八歳です」。店で働くためには欠かせない質問に母親は、はっきりと答えた。

安心した凛子は、女の子に「裕」という名前を付けて翌日から店に出した。

初めこそたどたどしかったものの、知的な眼差しに清潔で初々しい裕はすぐに人気者となった。と同時に、酒に酔う日も多くなっていた。

裕がホステスとして働き始めてから半年ほどが経ったころ、凜子はいきなり警察から呼び出された。

なぜ呼び出しを受けるのか、まったく要領の得ない凜子に告げられた〝容疑〟は「風俗営業法違反」。未成年者を風俗店で働かせたとして「七日間の営業停止処分」を言い渡された。

寝耳に水の凜子は、飛び上がるほど驚き身が縮んだ。何がどうしてこうなったのか、皆目分からず困惑する凜子だったが、そのうちに原因は裕にあることが分かる。

裕の実年齢は、十七歳だったのだ。

「ママ、知らなかったんですか？　裕は店がはねた後にお客さんと飲みに行き、酔っぱらうと『私は十七歳』と騒いでいましたよ」

従業員の言葉に唖然とした。裕の本当の年齢を知らなかったのは凜子だけだった。しかも従業員たちは、凜子が知っていながら働かせているものとばかり思っていたそうだ。

裕の母親に確認したときは、躊躇なく十八歳だと確かに言った。裕がどのような家庭環境の中で家出したのか、母親が嘘までついて娘を働かせようとした事情は何なのか――。裕を預かるのなら、もっと詳しく聞いておくべきだったと、凛子は後悔した。

七日間の営業停止は免れない。悔やんでも悔やみ切れない恥ずかしさの中で、凛子は処分を受け入れるしかなかった。

部長の新沼をはじめ従業員の意見は、破廉恥なことによる営業停止だけに店のイメージダウンは避けられないので、営業停止の一週間を「店内改装」という名目に充てて心機一転出直すべきだ、というものだった。

凛子の考えは違った。

「天知る、地知る、己知る」を座右の銘に、嘘は絶対につかないという固い信念でここまで来た。店内改装という小手先の手段で営業停止期間を繕ったとしても、いずれ本当のことが知れ渡るのは「自明の理」なのだ。

凛子は、現実と真正面から向き合う覚悟を決めた。正直にミスを認め、誠実に謝罪する道を選んだ。

「この度、自分の不始末の結果、警察より一週間の営業停止処分を受けました」

筆文字でしたためた「御詫状」を全ての客に宛てて投函した。

長野では、超一流と言われる地位を確たるものにした「くらぶ凛子」。それは店と客が「信頼」という相関関係の上で成り立っているものだ。しかし、今回の一件で最も大事な信頼関係が崩れてしまった。

「これでもう『くらぶ凛子』は、営業できなくなるかもしれない」。全ての気力が体から抜けていく様を実感した。

しかし他方では、逆境に抗うように営業停止日が近づくにつれて「初心に戻って出直そう」という新たな気概が、凛子の気持ちのどこかでふつふつと湧き上がって来ていた。

処分期間の一週間、銀座の店で働くことを思い立った。

凛子はすぐに知り合いのマネージャーに連絡を取り、受け入れてくれるクラブを探してもらうよう頼んだ。

かつて東京に住んでいたマンションは既にない。着物と化粧道具を持った凛子は滞在先の帝国ホテルへと向かった。

一週間限定で働かせてもらう店は、銀座並木通りにある「クラブシルビア」。以前勤めていたクラブの向かいにあるビルの三階だった。

久しぶりの銀座の活気に触れた。浮き浮きした高揚感に満たされる凛子は、長野で受けた営業停止処分のショックから完全に立ち直っていた。

やはり銀座は活力の源だ。凛子は東京にいる知る限りの馴染み客に連絡を取った。「一週間以内に来てください」と。

初日から凛子の客で店は大賑わいとなり、銀座のお姉さんホステスたちがヘルプに回るほどだった。

何日か後、飲めない酒をたくさん飲んですっかりいい気分の凛子は、タクシーで宿泊先の帝国ホテルに帰った。玄関前でタクシーを降りた凛子は、フロントに向かう途中でセカンドバッグのないことに気が付いた。

バッグの中には、現金六〇万円をはじめホテルの部屋のキーなどが入っている。タクシーに置き忘れたことは確実だった。

凛子は慌てて玄関に戻り乗ってきたタクシーを探したが、既に走り去った後だった。

酔いもさめた凛子はフロントで事情を説明して、ボーイにマスターキーで部屋を開けてもらう羽目になった。

翌朝、凛子は客の何人かに「ＳＯＳ」を発信して借金を申し込んだ。すると「見舞金だから、返さなくてもいいよ」。こう言って多くの客が快く応じてくれた。最終的に失くした金額を上回る〝浄財〟が凛子の手元に届けられた。

一週間はあっという間に過ぎ、凛子は長野に戻り「くらぶ凛子」を再開した。

店はもう駄目かもしれない——心配は、杞憂に終わる。

処分明けから連日、店は押すな押すなの大盛況だった。これほどの光景を誰が予想しただろうか。一番信じられない思いで見つめていたのが凛子だった。

いっさい繕わず、ありのままを包み隠さず伝えた「御詫状」が奏功し、客の新たな信頼を勝ち得たのだ。凛子は改めて「正直に生きる」大切さを教えられた。そしてまた「合わせる顔がない」と思っていた客の心の広さに感謝した。

不祥事の痛手を補って余りあるほど順調に再出発した凛子のもとに、東京で一週間勤めた「クラブシルビア」のマネージャーが何度も足を運んでいた。店に驚異的な売り上げをもたらした凛子を頼んで、「月に一週間でいいので銀座で働いてほしい」と言う。「銀座」という得体の知れない魅力に、少しばかり気持ちが揺らいだ凛子だったが、「長野で『くらぶ凛子』に専念する」決心がさらに強固なものとなっていた。

善光寺に向かって中央通りの西側は水商売が流行らない――。地元では、昔から言われていた。

「くらぶ凛子」は、母の吟が経営する「割烹陣屋」の建物の地下にあることから、水商売には向かないとされる西側に当たる。近くの中央通り東側には、この謂れの正しさを物語るように長野一番の繁華街で夜の街、権堂が位置する。

その権堂へ歩くにはちょっと離れているが、タクシーでは近過ぎる。極めて中途半端な距離にあるのが「くらぶ凛子」だ。

隣近所に同業者はいないので、これといった煩わしさはなかったのだが、いつだったか、凛子は同業者の集まりに出席した。

会議が終わり帰ろうとしていた凛子は、会長以下役員が居並ぶ部屋へと一人呼ばれ、思いもよらないクレームをつけられた。

「お宅が税務署に納める料理飲食税のお陰で、私どもが『少な過ぎる』と税務署に呼び出されてとても迷惑しているのだが、納税額を減らせないか」

突飛な物言いに最初は戸惑ったが、凛子は当たり前の返事をして、その場を辞した。

「私は正直に売り上げを申告しているだけですので、そのようなことを言われても困ります」

これ以降、同業者の会合に凛子の姿を見ることは一度もなかった。

夢は大きく持つほどいい――とは、凛子が若いころから抱く信条だ。

人は夢に向かって努力を重ねると、その夢は周りにも伝わり協力が得られるようになる。

そうして夢は、少なくとも「半分」は達成される。したがって、最初から大きな夢を抱けば、かなう「夢半分」もそれなりに大きいはずだから……。凛子流の哲学だ。

「いつか権堂でお店をやりたい」。凛子が望む権堂に手ごろな物件が見つかった。

例によって凛子の動きは速かった。すぐさま店舗造りに取り掛かり、設計を店の常連客で西野建設の奥宮設計部長に依頼した。

新店舗はモスグリーンの二階建て。一階は奥に長いカウンター席、二階はゴージャスにゆったりとしたソファー席。正方形で格子状に組まれた格天井には、画家に制作を依頼して描いたさまざまな鳥があしらわれた。

パイプを組み合わせて電飾する三本のツリーが彩る外観から店の内装に至るまで、奥宮部長の設計を凛子は気に入っていた。その一方で、満足度に比例して経費は思っていた以上にかさんでしまっていたが、「くらぶ凛子」の順調な経営がこれをカバーし、膨らむ経費をさほど気にすることなく計画は進められた。

夜の巷の噂話は、あっという間に伝播する。凛子の権堂出店も、早いうちから周知の事実となっていた。

新店舗の人材を探し始めていた凛子を「シャガール」というスナックのマスターが、「ぜひ、自分を使ってほしい」と言って訪ねて来た。

凛子は驚いてしまった。「シャガール」は凛子も以前から通っていて、とても流行っていたスナックだったからだ。しばらくご無沙汰している間に潰れたのだという。

マスターは小湊という人で、凛子の小学校の同級生で東京から転校してきた宮坂佐和子が、いつも「お兄ちゃん」と呼んでいた一回り以上年上の兄だ。当時、父親が営む喫茶店を手伝っていた。

凛子はよく佐和子の家に遊びに行っていた。そのころにしては珍しい洋風建物で、リビングにはいつもバナナが飾ってあるような洋式の家だった。子ども心に「お金持ちの家だなあ」と感じたことを覚えている。

家へ遊びに行くたびに顔を合わせ、挨拶を交わしていた佐和子のお兄さんに今、凛子は「何とか新しいクラブで働かせてほしい」と頼まれているのだ。

雇うことにやぶさかではなかったが、こうした小学生時代の思い出や佐和子の兄ということもあって、凛子の中では単なる従業員として採用するわけにはいかなかった。

思案の末、小湊は新しい店の店長として来てもらうことにした。

新店舗も掛け持ちする予定の凛子は、軸足はこれまで通り「くらぶ凛子」に置くことにしていた。それだけに目が行き届かない新店舗で、店長として凛子の役割を補ってもらおうと期待した。

凛子には、以前から温めていた店舗名があった。

「来夢来人」――。来る夢、来る人で「ライムライト」と読む。

スタッフもそろい店名もオープン日も決まった。招待状も送り終わり、後は開店を待つだけとなったある日、「くらぶ凛子」に足繁く通う清水という男性客が、頼みがあると言ってきた。

清水は「自分と一緒に、どうしても行ってほしい場所がある」と、意味深長な言い回しで凛子を誘った。

後日、時間を取った凛子が清水と一緒に向かった先は、長野市役所にほど近い今にも崩れ落ちそうな古い瓦屋根の平屋住宅だった。

清水は、頭がつっかかりそうな低い玄関のガラスの引き戸を開けた。そこは一つの裸電球が薄暗くついただけの狭い土間。奥の暗がりから音もなく、黒っぽい縒れた絣の着物を着たお婆さんがぬっと現れた。

どうしたら、こんなに小さくいられるの？　凛子が不思議に思うほど細く痩せて小柄なお婆さんは、目も合わせず言葉も発せず、玄関左手の階段に視線を向けた。それが「どうぞ」という合図だった。凛子は、靴を脱いで階段を上がっていく清水に倣って後を追った。

曲がりくねったような狭い階段を上がり切ると小部屋がある。部屋の中には暗い顔をした二人の男性が黙って火鉢を囲んでいた。隣の部屋からボソボソと話し声が聞こえてくる。どうやらここは、順番待ちの小部屋らしかった。

今、凛子がいる不気味な雰囲気の所は「花柘榴（はなざくろ）」という占い師の家だと、清水が教えてくれた。どんな噂かは知らないが、凛子の話を聞いた占い師が清水に「連れてくるよう」頼んだというのだ。

順番がきた。清水に促されてそろりと立ち上がった凛子は、一緒に襖を開けて隣の部屋に入った。多少の明るさを保った八畳間で、真ん中にあるこたつの周りにはいろんな物が所狭ましと積み重ねられ、雑然としていた。

凛子が目に付いたのは、占いの謝礼品なのか米や野菜、むき出しの現金などが無造作に置かれていたことだ。占い料金は定められていないということだった。

床の間を背にこたつの向こう側に座る占い師は、不自然な漆黒の髪を長く伸ばして生白い顔に垂らしている。玄関先で見たお婆さんと似たり寄ったりの小柄な男性で、猫背のところに「どてら」のような物を羽織って丸まっている。

あいさつした凛子を、上目遣いでギョロリと見た。

尋ねられた通りに答えた凛子の名前と生年月日を聞いた占い師は、巻紙のように横に長い紙に黒鉛筆と赤鉛筆、そして青鉛筆でくにゃくにゃとそれぞれの曲線を引きながら、店のオープン日と店名も聞いてきた。

しばらくして占い師は口を開いた。

「店名を今のまま『来夢来人』とするならば、オープン日を変えなさい」

凛子は慌てて「すでに招待状も発送してしまったので、それはできません」と返すと、占い師は新店舗の将来を見透かしたように〝予言〟した。

「日を変えられないのなら、店名を変えた方がいい。もし、このまま何も変えずに始めると、いずれ下の人のお陰で大変な目に遭い、この店はうまくいかなくなってしまうよ」

嫌なことを聞いてしまったな、と凛子は後悔した。これまで占いを信じたり、のめり込んだりしたことはなかった。しかし、それとは関係なく、一度聞いてしまったが最後、何か心に引っかかって釈然としない。

占いに逆らうのもどうかと思ったが、事ここに至って今さら、計画を変更することは現実的ではなかった。

凛子は、予定通り「来夢来人」のオープンに向けて準備を整えた。

ところで、清水の話では、占い師は『美術年鑑』にも載っているそれなりの日本画家で、花や美人画を得意としているそうだ。

しばらく経って凛子は、画家と言った方がいいのかもしれない例の占い師から、清水を介して「絵のモデルになってほしい」と申し込まれた。モデルをしている時間などはありません、と断ったが、言いようのない奇妙な雰囲気にも気が乗らなかった。

余談になるが、この占い師兼日本画家は大の花火好きとかで、毎年十一月に行われる長野市のえびす講花火大会には「花柘榴提供」で、どこよりも大きな花火を打ち上げていたという。

昭和五十二年。凛子が銀座で勤めていた「デロワ」など多くのクラブを経営していた東洋相互企業が、倒産したというニュースが流れた。

凛子は、「まさか……」という思いに駆られた。と同時に、「ホステスさんたちで分けて」と凛子を通して、札束をポケットから無造作に掴み出す鷹揚な町井久幸社長の仕草を思い浮かべた。そして長野に「くらぶ凛子」を出店するときにも、ホステスが見つからないと嘆く凛子に、三人の社員をスカウトマンとして東京から長期派遣してくれたのも、町井社長だった。

あれほど夜の銀座で隆盛を誇った東洋相互企業。銀座で華々しくクラブを展開し始めたのは昭和三十八年のことだから、栄華はわずか一四年間しか続かなかったわけだ。

この世界の厳しい「栄枯盛衰」をしみじみ噛み締めていた凛子のもとに、週刊誌の記者が取材に訪れた。

「町井久幸が残した銀座の人脈」というタイトルで記事にするという。改めて町井社長の存在の大きさを思い知らされた凛子は取材に応じた。

「『銀座の人脈』で地方の人は中園凛子さん、あなた一人です」記者は言った。

発売された週刊誌には町井社長の人脈の系図として、長野に出店「くらぶ凛子」の日向千恵――と、源氏名で写真とともに掲載された。

銀座のクラブが一番輝いていた時代を「デロワ」で過ごしたことを記事から改めて知った凛子は、最高にいい時期に勤められて本当にありがたかった、としみじみ思えた。

凛子は店を最初から「株式会社日向」として経営し、毎年九月を決算期としていた。

この年も決算期が間近に迫っていた。税理士に渡す書類を整理しようとした凛子は、稲妻に打たれたような衝撃を受けた。

入出金伝票をはじめ帳簿類が何一つないのだ。

唖然とした凛子は何とか気を取り戻し、事務を任せていた山崎咲子を呼んだ。

「伝票はどうしたの？　帳簿は作ってあるよね？」

「………」

咲子は、ただ俯くだけで何も答えない。それどころか、謝るでもなく泣くでもなく、ただ座って自分の左ひざの辺りを見つめている。なおも問いただす凛子に一切反応せず〝完全黙秘〟を通す咲子。

私だったら、とんでもないことを仕出かしてしまったことを平謝りで許しを請うだろう。凛子は、この状況で良心の欠片も見せずにいる咲子の神経を疑った。咲子の心が、体から抜け出して遠く彷徨っているのかもしれない。凛子は「宇宙人」でも見ているような気がしていた。

咲子の給料はきちんと払っていた。なのに、事務仕事で最も大切な伝票整理すらせずに一年間何をしていたのだろう。考えれば考えるほどいろいろと恨めしさが込み上げてくるが、今はそんなことを言っていられる場合ではないのだ。

この場を何とか切り抜けなければならない。切羽詰まった状況に追いやられた凛子は、否応なく決算書類の作成に一人で取り掛かった。

簿記の素養などまったくない凛子だが、売上伝票、売掛帳、領収証、銀行通帳などを基に前年度の決算を参考にして、一年分の日計表や振替伝票を必死で作成した。

決算書作りはビル三階の自宅で行う。客が来たとの知らせを受けて作業を中断し、同じビルの地下にある店に向かうため階段を下りて行く。挨拶を済ませ接客もそこそこに店を抜け出し、今度は三階へと階段を駆け上がり自宅に戻る。

再び机に広がる書類の数字に立ち向かう凛子。さらに連絡が、「新たなお客様がお見えになりました」と。三階の自宅と地下の店を結ぶ階段を一晩に何度往復することか。

こうして徹夜状態で帳簿や伝票など書類の山と格闘すること幾日――。夜と朝の区別もつかなくなったころ、何とか決算書の体裁を整えることができた。

事情を説明して〝労作〟を税理士に提出、事なきを得た。

こうした中で凛子は、一つの経理システムの合理性に感動した。それは振替伝票の仕組みだった。

貸方と借方の双方が一致した金額に基づいて元帳が作られ、費用の仕分けがされる。理解してみればしごく当たり前の仕組みだが、伝票類に初めて触れた凛子にとっては、今日の文明をもたらした発明家と同列に「こんな素晴らしいシステムを考え出したのはどんな人だろう」と思うのだ。

現場で接客営業ばかりに必死になって、一年に一度も事務所の書類に目を通さなかった。今回の不祥事の最大原因は、任せっぱなしだった凛子自身にあることは分かっていた。

凛子は大いに反省した、そのはずだった……。

念願かなって勝負地の権堂に満を持して出店したクラブ「来夢来人」だったが、大赤字の連続で挙句の果てには店長の小湊が失踪してしまい、閉店を余儀なくされた。

小湊は、小学校時代の同級生の兄で凛子も昔から知っていたことから、頼まれて店長として雇った。それだけ信用して任せていたのに、調べてみると売上金の使い込み、高級酒の横流しを常習としていた。

男性にとってこの業界は、女・酒・金の三拍子そろった魅惑の職場といえる。監視の目がなければ道を踏み外しやすい環境にあるのも事実。こうした道理を分かっていながら、凛子はまた同じ轍を踏む―任せっぱなしという仕儀に。

花柘榴の占い師が言った「いずれ下の者のお陰で、店はうまくいかなくなってしまうよ」。占い通りの結末に愕然とする。

「来夢来人」のインテリアは素晴らしく手放すのは惜しかった。しかし、店長の後任に適任者がいなかったことに加え、経営者としてママとして二店兼務の限界を、誰よりも凛子自身が肌で感じていた。

「くらぶ凛子」は相変わらずの繁盛ぶりを示していた。

貢献していたのは、採用間もないボーイの中本とホステスの紅子。二人の働きがあまりに目覚ましかったので、凛子は褒美としてフィリピン旅行に連れていくことにした。出発前夜まで仕事をして、寝る間もなく早朝に長野を発つという慌ただしさの中で、羽田から空路マニラに向かった。

何事もなかったのはマニラ到着までだった。最初のアクシデントは、空港から市街地に向かうバスの中で、凛子の〝チョンボ〟から事は〝発覚〟した。

「マネーチェンジします」。ガイドの案内に凛子は、ドルをフィリピンペソに両替するため、バッグからドル紙幣を取り出そうとした。ところが、バッグに入れたはずのドル紙幣が一枚もない。焦った凛子は、バッグの中をひっくり返すようにまさぐるが、ないものが出てくるわけがなかった。

おかしいなぁ……。凛子は意識を出発直前の長野までフィードバックさせて、自分の行動を記憶の限りなぞった。すると、ドル紙幣の在り処を示す〝場面〟がありありとよみがえった。はっとして凛子は大変な勘違いに気付く。

ドル紙幣は自宅金庫の中だ―。旅行に備えてしまっておいたのだ。

凛子はこのことをすっかり忘れ、ドル紙幣はてっきりバッグの中に入れてあるものとばかり思い込んでいた。

長野に置き忘れたドル以外の手持ちの現金は、普段持ち歩いている財布の中に入っている一〇万円少々の日本円。キャッシュカードのない当時、まったくお手上げ状態の凛子は、どうやってこの旅行をしのごうか、内心気が気ではなかった。

そうこうしているうちにバスはホテルに到着。ツアー客たちはホテルのロビーに集まり、ガイドから観光予定の説明を受けた。

心ここにあらず状態で今後の日程を聞き終えた凛子は、とりあえず部屋に入ろうとしたところで、「あれっ」今度はカメラがなくなっている。ガイドの説明を聞いている間、椅子の背に掛けておいたカメラが……。

泣き面に蜂―とは、まさにこのことをいうのだろう。前途多難を予感させるに余りあるマニラの初日となった。

話には聞いていたが、これほど物騒な所だとは思っていなかった。三人は相談した上で、凛子と紅子が持っている現金を全て中本に預けた。女性より男性の方が安全と考えての判断だった。

心身ともに疲労困憊の凛子と紅子は、この日の外出を取り止めて同室で休んだのだが、翌朝二人をさらなる悲劇が待っていた。

朝食時。中本は顔を合わせるなり「ママ、すみません」と謝った後、とんでもない〝告白〟をした。

「俺、昨夜預かった金をそっくり盗まれました」

エッ⁉　ナニ⁉　何を言っているの？

マニラに着いたその日から、ドル紙幣を忘れ、カメラを盗まれ、ドジを踏んでばかりの私を、面白がって中本が仕掛けた〝ドッキリ〟かも……。

深刻な中本の表情を目の前にしても、凛子はおどけた受け止めしかできなかった。次から次へとこうも続く災厄に現実感があまりにもなかったからだが、すがりつく楽観論を打ち砕くように中本は、事の顚末を話し始めた。

昨晩、凛子たちと別れてからガイドを頼み、歓楽街に出掛けて女の子と遊べる店に入った。そこで気に入った店の女の子と一緒にホテルへ行ったのだという。

まったくの〝素人〟ではない中本は、用心を怠らず最初のシャワー時には財布をバスルームまで持って入った。しかし事が済んで気が緩んだ。中本は財布を部屋に置いたままバスルームに向かいシャワーを浴びて戻ってみると、連れの女の子は姿を消していたのだ。

あっ、しまった！　中本が気付いた時はすでに後の祭り。慌てて持ち物を調べると案の定、財布だけが消えていた。

結局、凛子たち三人は、正真正銘「無一文」になってしまった。

悲劇のダメ押しに途方に暮れる中で責任と怒りを感じている中本は、フィリピンのタガログ語も英語もろくに分からないのに、「警察に被害を届け出る」と言い残して出掛けた。

この日の観光をキャンセルしてホテルに残った凛子と紅子は、暇つぶしにマニラの目抜き通りに出た。だからと言って、どこかへ行く当てがあったわけでもなかった。

これからどうしよう……。このことだけで頭がいっぱいの凛子の目に「日本航空マニラ支店」の看板が飛び込んできた。例によって何かが閃いた凛子は、迷うことなく支店の扉を押し開け、支店長に面会を求めた。

まずは素性を明かした凛子は、これこれ、しかじかとこれまでの出来事を事細かく説明して、頼み込んだ。

「日本に帰国次第お返ししますので、お金を貸してください」

「お金をお貸しすることはできませんが……」。支店長は気の毒そうな顔で、凛子の頼みを断ったが、「今から昼食に出掛けますが、そこである方を紹介しますので、相談してみましょう」と、凛子たちをレストランに伴った。

でっぷりとした貫禄のあるフィリピン人の男性が待っていた。

「こちらの方は、マニラで一番大きな観光会社の経営者です」と、凛子たちに紹介した支店長は、経営者と何やら話を始めた。言葉が理解できず何を話しているのか分からなかったが、たぶん私たちの事情を説明しているのだろうと察しはついた。

そこには「捨てる神あれば拾う神あり」を地で行く展開が待っていた。観光会社の経営者は、凛子たちに専属ガイドとして社員一人を付けて、観光も買い物もすべての費用を立替払いしてくれると言ったのだ。

二人をがんじがらめにしていたロープが、突然ポロリと解けたような解放感だった。一転して、何不自由なくフィリピン旅行を思いっ切り楽しめることになった凛子と紅子は、今までのことがまるで嘘のように思えた。

一方、中本はというと、観光の全日程をかけて警察や店との交渉に臨んでいた。自分は、信頼する観光会社のガイドの案内で女の子のいる店に行ったのだから、その店のオーナーに弁償してもらうと言い張り、警察を介してオーナー側と掛け合っていた。

中本の相手をした女の子は翌日から店を欠勤、自宅にも帰っていないとかで今、行方を捜しているそうだ。

「自分たちが責任をもって彼女を捜し出す。本当に盗んでいたのなら店の責任でお金は返却するので、六か月の猶予がほしい」

半信半疑の中本だったが、オーナーの言葉を受けて最後は矛を収めた。

中本は今回が初めての海外旅行だという。ましてや言葉も通じないのに良くここまでの交渉を成し遂げたものだと、しきりに感心する凛子は、同時に中本のことを「凄いなあ」

と見直した。

帰国した凛子たちは、現金は絶対に戻ってくるはずがないと思い込んでいた。ところが、この確信は良い意味で覆される。何と半年後に盗まれた金額がそっくり返却されたのだ。凛子たち三人は、予想外の展開に驚き、喜び、そして儲かったような気分になって大騒ぎで祝った。だが、後になってよくよく考えてみると、中本に預けた凛子と紅子のお金は、彼から一銭も返ってこなかった。

これも丸ごと過ぎてみれば、全てが笑い話のフィリピン珍道中――だった。

「くらぶ凛子」では毎年ゴルフコンペを主催し、今ではすっかり恒例行事となっている。この日、長野カントリークラブに常連客五六人が参加し、一五組に分かれてスタートする時間を迎えていた。

ところが肝心の「くらぶ凛子ゴルフコンペ」会長である大下工業の大下金一郎社長が来ていない。凛子は気を揉みながら今か今かと到着を待ったが、予定の時刻になっても姿を現さなかった。やむなく凛子は、会長不在の中で開催を宣言せざるを得なかった。

大下社長はとうとう最後まで顔を見せることはなかった。ゴルフコンペは、店にとって重要な経営戦略の一つで、日ごろから店を支えてくれる多くの常連客の中でも特に大切な人たちと親睦を深める機会なのだ。

それだけに、長野でも著名な大下社長にコンペの会長をお願いしていたのに、連絡もなくドタキャンされた凛子の怒りは心頭に発した。

大下社長のことを凛子は、親しみを込めて「金ちゃん」と呼んでいる。ちなみに、金ちゃんの父親で先代の社長には、日航商事の海保八郎専務を紹介してもらうなど付き合いは長い。

金ちゃんは、長野の繁華街では知らない者はいないほど羽振りが良く、巷では金ちゃんの行く店には必ず「いい女がいる」とも言われていた。「くらぶ凛子」にも毎晩のように通い、月に一五〇万円から二〇〇万円を超える売り上げをもたらしていた。

しかし、どれほど店に貢献していようがなかろうが、ゴルフコンペでの誠意のない仕打ちは許せなかった。

凛子は金ちゃんに見切りをつけた。

その上で、「今から大下工業に行って、溜まっている売掛金の三五〇万円を集金してきて！」と強い口調で、経理担当の近藤に指示した。

集金一日目は空振りだったが、凛子は全額支払ってもらえるまで毎日通い続けるよう指示した。近藤は大下工業に通い続けて朝から終業時間まで粘った。結果、五日ほどかけて売掛金の全額を回収することに成功した。

それからわずか一週間後、驚くべきことが起きた。

大下工業が突然倒産した。このニュースは長野の経済界に波紋を広げ、その衝撃は、後に小説になったことからもうかがえる。そのノンフィクション小説は斎藤吉見著「倒産」で、日経の経済小説賞に入選した。

「金ちゃんには、もう店に来ていただかなくてもいいから」。ゴルフコンペ後、売掛金の集金を命じた凛子は、新沼部長たち従業員に「そこまでしなくても」と反対された。それを押し切って全額回収に動いた凛子の慧眼は、周囲から絶賛された。

事実、同業者のほとんどは未収金を抱え、中でも今朝美のクラブ「シーバー」の被害はかなりの額に上ったという。加えて「シーバー」はその後、源泉徴収の滞納で税務署から督促を受けるなど行き詰まり、ついには閉店した。

凛子を裏切り続け、挙句の果てには「くらぶ凛子」を潰しにかかって、多くの女の子たちを引き抜いてオープンした今朝美とその店「シーバー」。凛子の目の前からあっけなく姿を消した。

昭和五十三年には長野県で「やまびこ国体」が開催された。冬季大会に本大会と一年間続いた競技も終わり落ち着きを取り戻した十一月のある夜、有名な小説家の五明康祐が「くらぶ凛子」を訪れた。

占いもすることで知られている五明をホステスたちが囲んで、キャーキャー言いながら賑やかに手相を占ってもらっていた。そのうちの一人の客が「ママも観てもらいなさいよ」と言い出した。

仕方なく凛子は恐る恐る左手を差し出した。手相をまじまじと目でなぞりながら五明は告げた。

「ママは、この半年以内に結婚するよ」

不倫に違いないが良介との蜜月は続いている。彼との付き合いが終わるとは思えないし、まして結婚相手になりそうな男性も周りにはいない。「やはり、五明先生の言っていることは当たっていないわ」と凛子は占い結果を一蹴した。

ところが、翌年の三月ごろから良介との関係が怪しくなりだしたのだ。

いつも悪ふざけして明るい良介が、浮かない表情を見せることが日増しに多くなっていた。そんな良介につられるように凛子の心配も否応なく募る。

理由を質(ただ)した凛子に、良介はぽつりぽつりと語り始めた。

凛子との不倫は、狭い世間にあっては当然のこと、会社にも知られるようになっていた。厄介だったのは道徳観念上の非難。特に会社社長という社会的立場にある良介への風当たりが強く、「社長退任」の声も出始め、加えて銀行の融資が受けられなくなっているという。良介に申し訳なかった。凜子は胸が締め付けられる思いで、そうした辛い話を聞いた。凜子は心から良介が大好きだ。しかしだからといって「結婚願望」があるわけでもなく、ただ良介との楽しい時間を共有するだけで満足だった。クラブ経営にかける「仕事第一」は捨てがたく、凜子の中では全てに優先していたのだ。

二人は何度も話し合った。

社長の退任話がささやかれるほど、良介の仕事に悪影響を及ぼしているのなら、彼のために身を引くのがベストな選択だと、凜子は覚悟した。

凜子が二十五歳のときに十五歳も年上の良介と知り合った。それからほとんど毎日一緒に過ごした七年間だった。

別れは、覚悟以上の苦しさ辛さを伴った。

決断をしてから三日も経たないうちに良介から電話がかかってきた。ある夜などは、奥まった路地から客を見送る凜子を見つめる良介の姿が切なかった。また凜子も、酔うと「会いたい」と電話をしてしまう。

「やはり別れましょう」。二人は会うたびに決心する。

こうした〝大人の分別〟とは裏腹に、二人の仲を裂く障害が大きければ大きいほど凜子と良介は、これまで以上に互いを激しく求め合った。

売上伝票を整理していた凛子はおかしなことに気付いた。ボトルの売り上げが計上されていなかったり、売上額が実際の売り上げより低い金額だったりしている。

伝票には通し番号が打ってあるので抜かれることはなかったが、売上額が改ざんされた伝票が数多く出てきた。

毎日の伝票を手書きしているのは、カウンターを任せている日沼という男性従業員だった。秋田生まれの日沼は、東北地方の出身者らしい純朴な性格で、凛子は最も厚い信頼を寄せていた。

しかし伝票の手書きの文字はどう見ても日沼のものだった。売上金をごまかして着服していたのは紛れもなかった。

まさか、あの日沼が……。凛子は信じられない思いで呼びつけた。

実は、伝票改ざんの手口は新沼部長が教えていた。言われた通りに実行した日沼は、分け前を新沼から受け取っていたのだった。

またやったのか――。採用の際、新沼が凛子に誓った言葉がよみがえる。

「自分は銀座の店で使い込みをしました。正直にお話をして、二度とこのようなことをしないと誓いますので、雇ってください」。人情家の凛子は、ころりと騙されてしまったことになる。

騙すより騙される方がいい、と裏切られるたびに自分を納得させてきた凛子だが、今回ほど新沼を忌々(いまいま)しく、また恨めしく思ったことはなかった。あれほど真っ直ぐな前途ある青年を悪の道に引きずり込んだことが許せなかった。

凛子は、部長の新沼に今月いっぱいで「くらぶ凛子」を去るよう通告した。

第七章　パリからやって来た男

年に数度、東京から長野に来た折には欠かさず「くらぶ凛子」に、いつも一人で顔を出す橋本という男性客がいる。この日は珍しく友人と連れ立って二人で来店した。

高宮昭二と名乗った橋本の友人は、フランスのパリに住んでいるとかで、年に二、三回は帰国して東京の自宅マンションに滞在するそうだ。

今回は、帰国中の高宮を「長野にとてもいい店があるから行こう」と橋本が誘って、わざわざ泊りがけで来たという。今夜は、善光寺近くの城山公園にある見晴らしのいい「百佳亭」に泊まると話した。

年のころは四、五十代といったところか？　高宮は「空手チョップ」で人気を博したかつての国民的プロレスラー、力道山に顔も体つきも似ている。

白のシャツとパンツで上下を統一。肩に掛けた紺色のカシミヤ製カーディガンの袖を胸の前で軽く一結びしたディレクターズ・ファッションで若々しい。イタリアンブルーの靴、ヴィトンのセカンドバッグをショルダーにしている。

さすがはフランス在住だわ、と凛子を唸らせる出で立ちは、キザとは思わせない洗練さを持ち合わせる。驚くことに二〇カラットを超えるスクエアカット・ダイヤの指輪を太い薬指に輝かせていた。

長野で一番の〝ハイソ〟な客層を誇る「くらぶ凛子」でも、フランス在住という境遇からして、こうしたタイプの客は初めてだった。高宮から聞くパリの珍しい話に凛子は、大いに興味をそそられ楽しい時間を過ごした。

翌日、凛子は誘われて三人でランチを共にした。終始にこやかに会話を楽しむ高宮は、時には凛子の話に深くうなずき、巧みに話題を引き出し弾ませた。高宮と橋本の二人は、一泊の予定を二泊にすると言い出し、この日の夜も店に足を運んでくれた。

これから長野を発つという橋本から「東京に戻る前に、どうしても会いたい」と凛子に連絡が入った。

待ち合わせた場所には橋本が一人でいた。

橋本は凛子に会うと、やおら高宮のことを話し始めた。

高宮は、ヨーロッパ家具を日本に輸出販売する仕事をしているそうで、一〇年ほど前に離婚。これをきっかけに生活拠点を東京からパリに移し、男手一つで育てている十六歳の娘と一緒に暮らしている。

一息置いて橋本は、「高宮は一目でママを気に入ってしまったようだよ」と体を前に乗り出した。「『結婚を前提にお付き合いをしてもらえないか』と言っているけれど、ママの気持ちは、いかがですか?」。凛子の胸の内を探るように橋本は尋ねた。

いかがですか? って、言われても……。橋本が高宮の身の上話を持ち出したときから、何かしら予感めいたものは感じていたが、ここまでストレートに交際を打診される心の準備は整っていなかった。

困惑を隠せない凛子は、ようやく「『しばらく考えさせてほしい』と、お伝えください」とだけ言った。こう答えるしかない、というときの〝定番解答〟だった。

銀座の一流クラブで水商売の妙を覚え、長野では「くらぶ凛子」を成功させている凛子。「仕事第一」で「結婚願望」など毛頭なかった。「結婚」という言葉自体、自分の生涯に関わりを持つことなどないだろう、と今の今まで思い込んでいた。

凛子はこれまで仕事に恋愛にと勝手気ままに生きてきた。さらにさまざまな困難や災厄に見舞われながらも、他人が羨(うらや)むほどの成功を収めている。

そしてまた、信じられないことに、結婚を前提にした交際を申し込まれた。しかも相手は、パリ在住の洗練された億万長者？

私は何という幸せ者なの——。洋々として広がる将来に思いを巡らす凛子は胸をときめかす。その一方では、不倫を清算しようと喘(あえ)ぎながらも泥沼から抜け出せない凛子が、またそこにいるのも事実だった。

森泉工業の森泉良介社長との関係を未だにズルズルと引きずっている。

一日も早く何とかしなければ……。追い詰められていた凛子の頭に、こんな逃げ道が一瞬よぎった。

―もし、高宮と結婚したらパリで生活することになるだろう。そうなれば嫌が上でも長野を離れるわけで、良介とはどんなに会いたくても物理的に会えなくなる。別れることができるはずだ、と。

高宮からの申し出があってからというもの、凛子の頭の中は無垢の領域に侵入した〝外来種〟が勢力を増して一気にはびこるように、「結婚」という二文字の征服を許していた。

「それでは、『結婚』を前提としたお付き合いをしてみます」

しばらくして凛子は、話を仲介した橋本に返事した。

以来、長野で高宮の姿がたびたび見かけられるようになった。

高宮の年齢は五十一歳。三十二歳の凛子とは十九歳もの年の差があった。父親との縁が薄かったことも少しは関係しているのかもしれない。

これまでを振り返ってみても、凛子と関わりを持った男性は―長野から一緒に東京へ出て暮らした右城俊は七歳年上。「銀座で一番の女にする」と言って長く支援してくれた赤石克也とは十三歳離れていた。そして森泉良介とも十五歳差だ。

いずれの男性もかなりの年上だったが、凛子はこれまで年齢差を意識したことなどまったくなかった。二十歳近くも離れた年上の高宮にしても、年の差分ぐらいは私を大切にしてくれるだろう……。こんな風に全てをポジティブに捉えていた。

男性からすると凛子は、いわゆる猫なで声で甘えるかわいいタイプの女性ではなかった。逆に女性に優しくするのが「男の甲斐性」ぐらい、勝手に思っていた節がある。

潜在的に「相手の男性は、年上の方がいい」と考える凛子には、高宮は理に適った相手だった。

当時の凛子は一日二箱を喫煙するヘビースモーカーだが、一方の高宮はタバコも酒も嗜（たしな）まなかった。それにもかかわらず、凛子がタバコを持つとすかさず火を付けてくれ、時には自分でくわえて火を付けたタバコを凛子に渡した。

さりげない自然体のレディーファーストが板についていた高宮は、凛子が気付かないうちにバッグの中に五万円とか一〇万円とかの現金を忍ばせるなど、どこまでも気配りが行き届いていた。

幸せ感に包まれて有頂天になっている凛子の見詰める先には、常に高宮の姿があった。

ひょっとしたら結婚するかも……。

予感の芽生えと共に凛子には、初めて気付かされた現実が見え始めていた。そのひとつが、「私は、家事がまったくできない」事実。

決して大袈裟というのではなく仕事に全てを捧げてきた凛子は、仕事以外の日常生活をお手伝いさんに頼り切っている。何の不自由もなかったし、疑問に感じたこともなかった。それでも、これまでは良かった。ただ結婚が現実味を帯びた今となっては、こうした日常が結婚への最大のネックになっていることに、凛子は気付いてしまったというわけだ。

直情径行な性格そのままに〝告白〟した。

「私はタバコも吸うし、今まで家事もしたことがないので、やはり結婚は無理だと思います」

まるで駄々をこねる子どものような凛子に、高宮は「自分は長い間、一人で娘を育ててきたので、食事の用意や洗濯、掃除、アイロンがけまで家事は全てできるから、あなたはそんなに心配しなくてもいいのだよ」と、大人の心の大きさを見せつけるように言った。

「あなたはコーヒーが好きだから、朝は僕がベッドの枕元に届け、タバコに火を付けてあげるよ」。耳触りの良い話を天にも昇る心地で聞き続ける凛子は、パリ暮らしの夢をバブルのように膨らませる。

「パリには『コルドンブルー』という料理学校があるし、『アテネフランセ』というフランス語学校もあるから、パリに行ったらそれらの学校に通って少しずつ覚えればいいじゃない」

結婚を申し込まれていることを、凛子は森泉良介に打ち明けた。

凛子と良介は、別れることが最善だと分かっている。互いに終止符を打とうと決意しながらも実行できないでいた。

「あなたと別れるには、ちょうどいいお話だと思っているの」

唐突に切り出す凛子の結婚話に、良介は最初こそ驚いた表情を見せたが……、「凛子にとって海外移住も素晴らしい経験になると思う。そんなに優しい人とならきっと幸せになれるだろうから、結婚をお受けしたらいいよ」。分別ある態度で応えた。

ある日の早朝、良介が凛子の部屋を訪ねて来ていた。

良介は、凛子の洋服ダンスを開いて物色するように、ああでもない、こうでもないと言いながら、衣服の掛かったハンガーをあっちこっち動かしている。

凛子にとって、今日という日は「特別な一日」なのだ。帰国している娘に会ってほしい、と高宮から言われ、これから東京に向かうことになっていた。

しばらくして良介は、洋服ダンスから薄紫のワンピースを選んで、凛子に見せながら差し出し、「この服が一番似合うよ」と同意を促すように言った。

それから良介はワンピースにアイロンをかけてから、凛子を長野駅まで送った。

かいがいしくも度を越した良介の〝献身〟ぶりに、何とも解せない疑念が湧いていた。彼らしい心からの優しさの行動なのか、これで凛子との別れに踏ん切りをつけられるという安堵感なのか、はたまた結婚を邪魔する魂胆を秘めた行動なのか――。

列車が揺れるたびに凛子の心中は、良介の心の内を慮ってみたり、彼への未練心を断ち切ろうと煩悶したりで千々に乱れていた。

上野駅に着いた凛子を高宮と娘の華が出迎えた。

三人がそろって向かった先は隅田川。船下りは風薫る五月のうららかな陽気に最適だった。パリ暮らしの高宮に案内されるのも奇妙な話だが、凛子は以前、東京に住んでいたとはいいながら隅田川を訪れるのは初めてだった。船上で川風に長い髪と薄紫のワンピースをなびかせながら、さわやかな気分を満喫した。

娘の華は会ってすぐに打ち解けた。凛子にまつわり付くようにして離れず、絶えない笑顔を向けた。

高宮は東京の住まいに凛子を案内した。マンションは高級住宅街の白金台にあり、2DKの部屋は、精巧な象嵌(ぞうがん)細工を施した艶塗りのヨーロッパ家具など瀟洒(しょうしゃ)なインテリアで統一されていた。

凜子は、高宮がヨーロッパ家具を扱う仕事をしている、と聞かされたことを思い出す。「移動で疲れたでしょう」。バスタオルにフェイスタオルを用意して、一番に入浴を勧める高宮の嬉しい気配りに心が和んだ。

肝心の娘の華との顔合わせも無事に済ませた凜子は、結婚に向かう重要なハードルを難なく越えた。

「次は、パリの住まいも見てほしいね」と高宮は言った。

それから間もなくして、初めてのヨーロッパへと凜子は機上の人となる。

フランス、パリの16区エミールオージェ通り。中心地の「凱旋門」まで車で約三分、反対方向に徒歩で一五分ほど行けば「ブローニュの森」という、まさに他人も羨む一等地だ。そこにある八階建てマンション三階の全フロアが高宮と娘の華が暮らす住居。八階全てワンフロアごとに一家族が住む分譲マンションで、同じ間取りのいわゆる持ち家だ。

マンションの一階には管理人—コンシェルジュの部屋と、中央にエレベーターがある。

そのエレベーターに乗るには、まず鉄格子の扉を開け、次に木枠にガラスをはめ込んだドアを開いてから乗り込み、古く突き出た各階のボタンを押す。まるでフランス映画の一場面のようだ。

三階でエレベーターを降り、低いが幅広いステップを二段上がる。そこには高さ三メートル近い彫刻された分厚い木製の両開き扉がでんと構える。高宮家の玄関だ。

玄関扉の内側には、把手の下と凛子の目線の辺り、左手を伸ばした頭上の三か所にも鍵が設けられており、日本とは違う治安の危うさがうかがえた。

部屋に入ると開放的な玄関ホールがバーンと広がる。左側は広い台所と小部屋に仕切られた食堂があり、四人掛けの素敵なイスとテーブルが配置されている。さらに一五人くらいが座れる大食堂とソファーでゆったり寛げるリビング。

その瀟洒な窓辺を飾るカーテンを背景に置かれた全自動ピアノからは「アルハンブラ宮殿の思い出」という曲が流れていた。

リビングを右手に回ると小さいながら書棚にぎっしりと本が詰まった書斎。そこから奥に向かう廊下を行く。エミールオージェ通りに面した側にそれぞれ窓が付いたゲストルーム、華の部屋、家事ルーム、メインのベッドルームに居間が並び、廊下突き当り右側にトイレとバスルームがある。

天井が高くて申し分のない大邸宅だった。

車は二台所有し、一台はシルバーの「ロールスロイス」で、もう一台が買い物用に使っているという「ミニキャブ」だ。

こうしたマンションが林立する16区には多くの富裕層が住んでいて、地理的にも各国が大使館を置いているという。

高宮がどれだけ裕福なのか、想像に難くなかった。「私が結婚すれば、この豪邸に住むのだ」。凛子の中で「結婚」がより具体的になっていた。

凛子はパリに一週間滞在したが、この間、高宮から至れり尽くせりのもてなしを受ける。ロールスロイスでドライブに出掛け、ロワール川沿いの城巡りを楽しんでいたときのことだった。駐車場でバスからぞろぞろと降りてくる日本人観光客の一行と出会った凛子は、驚きのあまり目を丸くした。

観光客の中に「くらぶ凛子」の馴染み客である長野の守田商会の社長夫妻を認めたのだ。が、時はすでに遅く、鉢合わせするように〝対面〟してしまった。

高宮と一緒のこのシチュエーションをどう説明しようか――。結婚を公表しているわけでもない凛子は、不意を突かれて狼狽しつつも何とか高宮を紹介し、かろうじてこの場を取り繕うことができた。

後日談になるが、このパリでの〝遭遇劇〟について守田社長は、長野に戻ってからも一切口をつぐんで誰にもしゃべらないでいてくれた。

凛子は、パリ滞在中に高宮との結婚をはっきりと決めた。

だがこの一週間、高宮とベッドを共にすることはなかった。結婚するまでは肌を許さない——凛子なりの拘り(こだわ)があった。

三十二歳の生き様からして今さら、純潔を守るみたいな青臭いことを言っている自分を、自分でも妙な気がしているのだが、凛子にとっての「結婚」とは、それだけ精神性の高い神聖な〝儀式〟だった。

結婚への意志を固めて長野に戻った凛子は、早速「くらぶ凛子」の閉店への道筋を考えた。

凛子は、約二か月後の七月末日をもって閉店することを決めた。

「私は結婚することになったので、店を七月末に閉めることにしました」。凛子は部長の新沼武士を呼んで、オーナーとしての決断を伝えた。

新沼は純朴な若い従業員をそそのかして伝票を改ざんさせ、店の売上金を着服していた。激怒した凛子は新沼を解雇するつもりでいたが、「あなたには今月いっぱいで辞めるように伝えたけれど、閉店までわずかなので、それまでは勤めてもいいことにするわ」と話し、その上で新沼に〝恩赦〟を与えた。

「あなたの名誉のためにも使い込みの件は、世間に公表しないことにしたので、七月過ぎには自分の店を持てるように考えなさい」

従業員には、全員を集めた席で「くらぶ凛子」を閉店して〝寿引退〟することを伝えた。後日、凛子のところに店のナンバーワン・ホステスの海野巳知子が、閉店を機に自立して店を持ちたい、と言ってきた。喜んで応援することを約束した凛子は、財産ともいえる顧客名簿をプレゼントした。

巳知子は、店の名を「土人」にしたと言う。首を傾げたくなるような店名だったが、夢の中に「土人」が出てきたからという単純過ぎる理由も面白かった。もっとも「土人」は、その後「土儘」に漢字を改めるのだが、店の場所は「くらぶ凛子」を倣って繁華街の権堂ではなく、少し離れた南千歳町に決めたと言った。

凛子は、信頼している巳知子の独立にこれっぽっちの心配もなかった。

高宮との結婚は、母の吟にも相談し承諾を得た。

しかし母は、自分が営む「割烹陣屋」を凛子に継がせるつもりでいたらしく、「お前が外国に行ってしまうなら、跡取りは弟しかいないわね」と言い出した。

弟の雄一は当時、茨城県土浦市の写真館に勤めていて、水商売とはまったく畑違いの職業に就いていた。このため、事の成り行きで責任を感じた凛子は、母と一緒に土浦へと向かった。

二人は雄一と写真館の店主に会い、諸々の事情を説明して理解を求めた。その甲斐あって話し合いは無事にまとまり、雄一は近いうちに写真館を辞め、長野に戻って「割烹陣屋」で見習い修行することになった。

厄介だった「割烹陣屋」の後継問題は母にとって良い方向で決着を見た。凜子も後顧の憂いなく結婚へと突き進むことができるようになった。

「くらぶ凜子」の閉店に向けて忙しいさなか、凜子の頭にふと「占い」のことが浮かんだ。以前、手相占いで有名な小説家の五明康祐に占ってもらったときの話で、「ママは半年以内に結婚するよ」と言われた。凜子は指折り数えて、そのときのことを思い返す。

五明が店に現れて占ったのは確か、去年の十一月ごろで、今が五月の末だから……「当たっている。占いも、まんざらバカにできないなぁ」。

凜子の足は、日本画家でもあり占い師でもあるが今ひとつ得体の知れない、あの「花柘榴」へと自然に向かっていた。

かつて、凜子から言い出したことではなかったが、念願の権堂にオープンするクラブ「来夢来人」のことを占ってもらった際に、「店名か開店日かどちらかを変えないと、下の人によって店はうまくいかなくなる」と言われた。

しかし、物理的に不可能だったことから結果的に占いを無視した。その末、どうなったかと言えば、店長の横領などによって予言どおり閉店の憂き目に遭ったのだ。

「以前、私が渡した用紙を持ってきましたか？」

占い師に尋ねられた凛子は、「いいえ」と答える。

すると前回同様、名前、生年月日を聞いた占い師は、細長い用紙に赤、青、黒色の鉛筆でグニャグニャと、これまた見覚えのある波線を三本描いた。

凛子は占いを信じているわけではなかった。占いに頼る前に、すでに自分の進む道は決めている。過去の二回にしても自ら進んで占ってもらったわけではない。

ところが今回は、人生を左右する「結婚」という特殊事情が絡んでいる。決心は揺るがないまでも、凛子的にこれまでの的中率一〇〇％（パーセント）の誘惑に引きずられて、占いに心の安寧を求めたとしても不思議ではない。

とは言うものの今回も、結果がどうあれ占いに左右される気はさらさらなかった。あるとすれば「ふ～ん、そうか」程度の意味合いで納得できる。

このとき、どのような占い結果が出たのか？　それは覚えていない。なぜか不思議なことに、その部分だけ記憶が飛んでいて思い出せないのだ。いずれにしても印象に残るほどの内容ではなかったということだろう。

ただこうした中で、凛子が信じられないほど鮮明に記憶している「驚愕の事実」がある。

それは、占い師が三色の鉛筆でグニャグニャと何かをなぞったような波線なのだ。

パリ移住に向けて荷造りをしていたときのこと、「おや?」と思った凛子は、忙しく動かしていた手を止めた。整理していた物の中から、最初に「花柘榴」で占ってもらった例の細長い用紙が出てきたのだ。

凛子は好奇心の赴くままに、先日の占い用紙を持ち出して比べてみることにした。と、何と驚くことにグニャグニャした波線が、ほぼ同じ軌道で描かれているではないか。

「うそっ!?」。凛子は唸った。だって、最初に見てもらってから何年も経っているのに……と、凛子は摩訶不思議な世界に迷い込んだ気分だった。

凛子の運勢を表現する波線が、同じような軌跡で辿る二枚の細長い占い用紙。最初の占い結果である「店はうまくいかなくなる」から類推すれば、結婚も「何らかの対処をしなければ悪い方に向かう」と、暗示されていたのかもしれない。

しかし凛子の関心は、そこには向かわなかった。同じような波線の二枚の占い用紙を並べ、眺めては感心することしきり。「占いをする人って、やはり特殊な能力が備わっているものなのね」と独り合点した。

「くらぶ凛子」は、七月いっぱいでの閉店を公表したことから、知らせを聞いたという客が大勢来店していた。

その中の一人、いすず工業の森社長から凛子は相談を持ち掛けられた。

森社長は、サイドビジネスで権堂に「クラブやまと」という店を経営している。相談というのも、そのクラブのことだった。

「ママを務められるような人を、誰か紹介してくれないか」

結婚して水商売とはスパッと縁を切りパリに移住する凛子は、もう長野に住むことはないという気軽さもあって、森社長の話にまず浮かんだ顔が、あの〝天敵〟今朝美だった。

今朝美に泣きつかれて長野に連れて来た際に肩代わりした借金は、未だに返してもらっていない。荒唐無稽な「くらぶ凛子」の乗っ取りを企てた。潰れて今はない「クラブシーバー」開店の折には、ママとなった今朝美にホステスを引き抜かれたなど、これまで嘘と裏切りに振り回され散々な目に遭ってきた。

そんな今朝美を一度は切り捨てた凛子だが、客商売に長けた才能は高く評価していた。それだけに、嫌な思いを押し退けて今朝美のこうしたピカ一の客扱いが、凛子の脳裏をかすめたとしても不思議はなかった。

今の今朝美は、借金に追い回される日々だとうわさで聞いている。

凛子は電話を入れた。

幸せの絶頂に立つ者の驕り（おごり）なのか、余裕なのか、それが凛子を寛大な気持ちに仕立て上げていたことは確かだった。今朝美を身が立つようにしてあげなければと――。

「あなたをママにという話があるのだけど……」

「とてもありがたいお話です」

今朝美は、凛子の打診を飛びつくように喜んだ。

凛子は森社長に、今朝美の良いところと注意すべき欠点を伝えた上で、互いを引き合わせた。

今朝美は「クラブやまと」のママに就いた。

結婚にはやる凛子には、ただ一つ心に引っかかっていることがあった。

凛子が「彼」と呼べる最初の男―右城俊。長野の暴力団員だった右城を、凛子が組長と直談判して「堅気」の世界に連れ戻し、二人で東京に出てしばらくは一緒に暮らした。仕事のことで折り合いがつかずに別れ、その後も右城の監視の目から逃れたいと思った時代もあったが、凛子は今でも右城が好きだ。

凛子が長野に戻って「くらぶ凛子」を始めたことを風の便りに聞いた、と言って店を訪ねて来てくれた。東京で外車のディーラーをしていると知って凛子は喜び、右城から「マスタング」を買った。

当時は不倫関係の森泉良介に夢中だったが、年に一回か二回、東京から来る右城に凛子は心をときめかせた。

結婚してパリに移住することを、日本を発つ前にどうしても会って話しておきたかったのだ。

再会したころは右城の連絡先を聞いていた凛子だが、その後、仕事も住居も変わったと知ったとき、「私に連絡先を教えないで。たまにこうして来てくれるだけでいいから」と言ってしまった。

いつ何時、何かの際に、ふっと電話をして会ってしまいそうな気がした。だから、あえて連絡先を聞かないようにしていたのだ。連絡もできず、別れを告げることもできないまま、何も知らずに長野を訪れた右城は何を感じ、何を思うだろうか。

今にして凛子は後悔する。あのときに働いた自制心が恨めしかった。

「くらぶ凛子」の営業も後三日を残すのみとなっていた。その慌ただしさの中で日航商事の海保八郎副社長が、東京から何の前触れもなく店にやって来た。

凛子はびっくりした。海保副社長といえば、今まさに日本社会を揺るがしているアメリカ絡みの〝疑惑〟の渦中にいる一人だ。この問題がテレビで国会中継されるなどしていて、凛子も心を痛めていたのだ。

こんなさなかに一人でひょっこり店に現れたのだから、驚くなと言われてもそれは無理な話だ。

あまりのことに、どこか落ち着かない凛子に向かって海保は言った。

「ママ、結婚してフランスに行くそうだね。大丈夫か？　変な『パリゴロ』をつかんだんじゃないだろうね」。こう冗談めかした上で「出資金の三〇万円を返却したいと秘書に電話をもらったそうだが、出資金は結婚祝いとしてママへの祝儀にするから、返さなくてもいいよ」。

凛子は少し前、秘書を通して結婚してパリで暮らすことを伝え、その際に店の株を買ってもらった三〇万円を返却したい、と付け加えていた。

「こんな事件の真っ最中の大事なときに、よく長野に来られましたね」。本気で凛子は心配した。

「連日、新聞記者が張り付いているから、記者たちをまいてここに来るのも大変だったよ」と言う割には、海保の表情はにこやかだった。

感激した凛子は、開店時から縁起物として店内に飾っていた博多人形を、記念にと海保にプレゼントした。

日本髪に着物姿で文机に向かって物思う女性の博多人形だが、普通の博多人形とは異なりちょっとした趣向が凝らされている。台座の底をひっくり返すと、そこには絡み合う男女の営みが彫刻されているのだ。

凛子が銀座時代に尊敬していたママから、「くらぶ凛子」の開店祝いにと贈られたものだった。

この日「くらぶ凛子」のお別れパーティーが、長野ホテル国際会館で盛大に開かれていた。閉店と結婚を知らせる凛子の手紙に、長野県内はもとより東京からも大勢駆けつけていた。中には長野県知事や長野市長も顔を見せ、政財界や官庁をはじめ芸能関係から同業者まで多士済々。「これほど多様な方々が一堂に会する大きな宴会は、初めてです」とホテル側が舌を巻くほどだった。

「くらぶ凛子」の開店時、長野にコネクションのない凛子は案内状の宛先にさえ当てがなかった。困り果てた末に図書館で探した「紳士録」を頼りに片っ端から、誰彼なく案内状を送りつけたあの当時、誰がこの光景を予想しただろうか。

隔世の感を禁じ得ない凛子は酔いしれるように、こんなことを思った。

――娘の華と同席している結婚相手の高宮昭二が、こうした各界をリードする錚々たる顔ぶれが自分の妻となる凛子のために集うパーティーを、どのような気持ちで見つめているのだろう、と。ちょっぴり誇らしかった。

二度の衣装替えをしたドレス姿の凛子は、ふわふわと雲の上を歩いているような夢心地で各テーブルを挨拶して回り、三五〇人を超える人たちから祝福された。

あるテーブルでは、ほぼ毎晩通ってくれた西野建設の西野郁造副社長が「凛子ちゃん。どうせまた長野に戻って来るのだろうから、店のインテリアに白布を掛けていったらいいよ」と周りの人たちを巻き込んでからかった。「さあ、凛子ちゃんが何年で帰って来るか、賭けよう」。

パーティーは、凛子の門出を祝して終始大変な盛り上がりを見せて終えた。

翌朝、前日の余韻が覚めやらぬ凛子は、目を通していた地方紙朝刊の記事に頭から冷や水を浴びせられた。

新聞は、長野市役所内で発覚した横領事件で、容疑をかけられている職員が庁舎内で自殺したことを報じていた。記事には、自殺騒ぎがあったさなかに市長と助役の二人が、市内某クラブの閉店パーティーにこぞって出席していたとあり、批判めいた書かれ方をしていた。

私のために大変な迷惑をかけてしまったと、いても立ってもいられなくなった凛子は、大慌てで身支度して市長に会うために市役所へと向かった。

折よく面会できた市長は、凛子を見るなり「やあやあ、ママじゃないか」と迎えた。予想に反して場違いなほどの歓待ぶりに少々戸惑いながら、凛子は深く頭を下げて詫びた。

「パーティーにご出席くださったばかりに、こんなことを書かれてしまい、本当に申し訳ありませんでした」

「いや、パーティーは、夕方五時半からだったので問題ないよ」。市長は恐縮する凛子を慮った。「それより、パリに行ってしまうママにはもう会えないと思っていたのに、もう一度会うことができて、こんな嬉しいことはないよ」。

市長の気遣いに凛子は感謝した。

八月、凛子は親族や友人を招いて「見立て披露」をした。見立て披露は、長野では結婚式に先立って行う「結婚披露」とも言い、一般的には「お披露目」のことだ。

新郎、高宮家関係の出席者は本人と華の二人だけだった。結婚に向けて身辺の整理に忙殺されてあれこれ考える余裕もなかった凛子は、このことに関して特段気にも留めなかった。

高宮は、知り合ってから一歳年を重ね五十二歳になっていたし、再婚という事情や正式の結婚式ではなく「お披露目」ということもあり、口うるさい母の吟も違和感を持たず何も言わなかった。

凛子を祝福する輪の中に二人の親友の姿もあった。塚越澄子と渡瀬江梨子。中学時代は凛子を含めて三人はいつも一緒で、通っていた長野市の柳町中学校では「柳町中の三人娘」と言われ目立っていた。

「おめでとう」。心から喜んだ澄子と江梨子は、凛子の身の上を最もよく知る二人ならではのアドバイスを贈った。

「凛子はね、仕事でも何でもいつも男の人にチヤホヤされていたし、男の人も凛子の前では一番格好のいいところしか見せていなかったのよ。でも、男の人ってそうじゃないからね。凛子はお父さんがいない環境で育っているから、母親がどれほど父親に我慢強く献身的だったか、見ていないでしょう。だから結婚して、ご主人の言動にいちいち抵抗を感じることがあると思うけれど、その辺は気を付けてね」

確かに、周りの男性の気遣いの中心にずっと居続けた凛子には、最も遠いところにあった献身とか忍耐とか寛容とか……凛子自身あまり考えたこともなかった。

夫を支える妻としての〝心得〟を呼び覚ますような新鮮で深い言葉だった。小学校、中学校からの親友二人の親身な助言が本当に嬉しかった。

妹の由美子には「凛子姉ちゃんだから、こんな素晴らしい人と巡り会えたのだから幸せになってね」と祝福の言葉を掛けられた。

母の吟もまた、顔をぐしょぐしょに大泣きして「凛子をくれぐれもお願いしますね」。拝むように、高宮に何度も頭を下げた。

事あるごとに衝突し、決して折り合いが良いとは言えない母が、凛子の幸せを願ってこれほど素直に感情を露わにするとは思わなかった。母の愛情に凛子は胸を詰まらせた。

「どうぞ、ご心配なく。お任せください」。高宮は母の思いに応えるように、はっきりと言い切った。

大きな体で全てを受け止めるように高宮は、終始笑顔で凛子の肩を抱き締め続けた。

本当に良い奥様になろう――。幸せの絶頂で、凛子は心の底から誓った。

パリへの旅立ちに心を弾ませ、あれこれ準備に忙しい凛子の傍にいつの間にか来ていた母は、予想すらしなかったことを口早に言った。

「お前が、これからどんな所に住むのか見ておかないと心配だから、私もお前たちと一緒にパリに行くので、高宮さんにそのように言いなさい」

母の行動は、いつものように予測不能で唐突だ。だが凛子は、母がそこまで娘の心配をしてくれるのかと思うと嬉しかった。高宮にしても財産家で優しい人だから、母の気持ちをきっと分かってくれる。凛子は母の意向を伝えた。

すると、新婚旅行は日本からスペインを回ってフランスに戻る日程を考えていた、と明かした高宮は「それでは娘の華とお母さんに私たち二人、合わせて四人での新婚旅行としようね」と、気持ち良く受け入れてくれた。

高宮はどこまでも優しかった。

あれもこれもとスーツケースに詰め込んで荷造りをしている凛子を見かねたように、高宮は「何もそんなに持って行かなくても、パリでこれから迎える秋、冬用の衣装は、私の好みで買い揃えてあげるからね」と、凛子が抱くバラ色のパリ生活を一層華やかに輝かせてくれる。

「パリの友人たちに結婚を伝えたら、皆が君のパリ到着を楽しみにしていると言っている。着いたら皆を家に呼んでパーティーをするよう、全て手配したよ」

パリの広い自宅の応接室で賑やかにパーティーが開かれている。その中心で夫高宮の友人、知人、大勢の人たちに囲まれて歓迎されているのは凛子——。そんな自分の姿を想像した。

包容力のある主人の腕の中でエプロンを掛けて掃除、洗濯、アイロンがけにと家事にいそしんで、空いた時間には料理とフランス語学校に通うのだ。

良い奥さんになることはもちろんだ。娘の華の素敵なママになることを心に固く誓った。

幸せ色に彩られたパリの新婚生活……。凛子は瞑想にふける。

第八章　理想と現実の挟間で

凜子たち四人はスペインにいた。

高宮が予め立てていた粋なプランで、子連れの新婚旅行ではあったが、フランスに直帰する前に立ち寄ることになっていた。

ところが、日本を発つ直前になって「私も一緒に行く」と、例によって唐突に言い出した母の吟も加わったことで、ちょっとしたヨーロッパ・ツアーの趣に変わってしまった。

しかしそんなことは、凜子にとってどうでもよかった。

伝統と洗練された街並みに広々とした公園、歴史と文化を誇る美術館など世界中から観光客が押し寄せるマドリード。誰もが憧れる美しい首都の最も由緒あるホテルのスイートルームで凜子は、優しくも熱い抱擁に大切にされながら夫となった高宮に初めて体を開いた。

その夜、火照った体を横たえながら湧き上がる実感に恍惚としていた。

「私……本当に結婚したのね」

日本から遠く離れ開放感に満ち溢れたスペイン観光は、凜子を全てのしがらみから解き放った。微妙だった娘の華との距離も一気に縮まったことも、新たに始まる家族三人のパリ暮らしに馳せた思いを加速させていた。

高宮の住居は、パリでも富裕層が多く住む16区にある。初めて〝下見〟に訪れた時の浮ついた感動とは、まったく別物の新たな感激に胸を膨らませて、新居に足を踏み入れた。

これからどんな結婚生活が待っているのか──。ある種、覚悟を決めて飛び込む未知の世界だった。

そんな凛子の決意を知ってか知らずか、またぞろ吟が思い付きを口にする。「折角、フランスにまで来たのだから、ニースに行きたいわ」。

まったく、もう、お母ちゃんは……。目に余る母のわがままにうんざりしながらも〝孝行心〟が頭をもたげる。確かに、母にとってこんな機会は二度とないかもしれない。

「それなら、二人で行って来なさい」と逡巡する凛子の心情を慮ったように、高宮が助け船を出した。だが、その言葉の端に突き放すようなニュアンスが含まれていたのを、凛子は一瞬曇った高宮の表情から読み取った。

何か胸につかえる後味の悪さを覚えながらもニースに行くことを決めた。しかし案の定というのか、高宮はこれをまったく無視した。

フランス語で理解できるのは「メルシー」と「マダム」程度の女二人旅。それも新妻と義母なのに、切符やガイドの手配とかは一切なく気遣うそぶりさえ見せない。

こうした中で迎えた出発の当日。

それでも「これ、少ないけど……」って、渡してくれるものと淡い期待を抱いていた旅費とか小遣い銭も、「気を付けて、行ってらっしゃい」のありきたりの言葉にすり替えられて送り出された。

「新婚旅行で余分な母親の分まで出費させてしまったのだから、これもしかたないことよね」。釈然としないまでも凛子は、自分を納得させて不満を胸の内に仕舞い込んだ。

ともあれ、文字通り右も左も分からない母と娘の〝珍道中〟が始まった。

母国語に強い誇りを持っているフランス人は、外国人が下手なフランス語を話しても相手にしないと聞いていた。だが面白いことに、まったくしゃべれないことが幸いするようにタクシー、飛行機などを乗り継いで何とかニースに到着した。凛子の身振り手振りの奮闘が功を奏したのだ。

空港の案内所で宿泊するホテルを探してもらったが、どこもかしこも満杯状態。「どうして、こんなに混んでいるの？」。訝しく思い始めた凛子を察したように、空き室のあるホテルが一軒だけ幸運にも見つかった。

古くて小さなホテルだ。部屋に至っては今まで泊まった中で一番狭かったけれど、「まあ、泊まる場所が確保できたのだから良しとしましょうよ」と頷き合った。

一段落つくとお腹が空いてきた。すでに夕刻が迫っている。

「夕食は、外で食べましょう」

二人はホテルを出て、大通りに面した手ごろなレストランを探し始めたが、大通りにはなぜかロープが張り巡らされている。入り口とみられる所に小さなスタンド小屋があってチケットを販売していた。

「この通りを行くには、チケットがなければダメみたいね」と、訳も分からずチケットを買って通りを行くと、両サイドにパイプ椅子がズラリと並べられている。

「ここできっと、これから何かがあるのね。取りあえず席だけは確保しておきましょうよ」

凛子は、張られたロープの一番前の椅子に母を促して一緒に陣取った。

「何が始まるか分からないけれど、しばらくは夕食を我慢しましょうか」

空腹より、これから始まる「何か」を優先して待つことにした二人の所に、四角い箱を胸の前に下げた売り子がやって来た。

箱の中には、細長いカラフルな袋が入っている。「何かしら?」と袋を触ってみた二人は、そのふんわり感に顔を見合わせて同時に叫ぶ。

「コッペパンみたい!」

「お腹の足しにしましょうよ」

続いて来た売り子からは「飲み物だ」と直観した凛子が「缶」を買った。

いつの間にか大通りは、身動きができないほどの人、人、人で埋まっていた。

軽快なリズムに乗せて賑やかなパレードが近づいて来る。飾り立てた車両の上でコスプレ美女や着ぐるみ人形たちが踊り、沿道を埋めた人たちに向かって景品だろうか、商品だろうか、さまざまなグッズを撒くように投じる。

それを目掛けて人波が右に左に大きくうねって奪い合う。まるで「オシクラマンジュウ」みたいな喧騒の中から場違いなスーツ姿の紳士が現れた。

その紳士は、パレードの脇を行ったり来たりしているところを見るとフェスティバルの関係者のようだったが、凜子たちに異な行動を見せた。

パレードから投げ込まれるグッズを求め、両手を頭上に高く掲げた大勢の観客が波打つようにどよめく中で、スーツの紳士はそれらのグッズをパレードから凜子の手元に二度、三度と運んでくれたのだ。

「何で？」なんて考える間も与えられないほど周囲の熱気に浮かれる二人は、一瞬正気に戻ったような驚きに目を見張った。

「？……　えっ⁉」

周りの人たちが歓声を上げげながら紙吹雪をまき散らしている光景に、凜子は「ハッ」と気付いた。

何のことはない。「コッペパン」だと思って買った袋の中身は紙吹雪。飲み物と思い込んでいた「缶」からは、ヒューという音と共にカラフルな泡が飛び出している。スプレー缶だった。

「お腹が空いていると、何でも食べ物、飲み物になってしまうのねえ」

笑い転げる二人がいる場所は「ニースのカーニバル」。紛れもないカーニバル会場のど真ん中だった。ホテルが空いていなかった理由に合点した。

愉快なエピソードはこれだけでは終わらない。カーニバルならではの予測不能な出来事が、この後の二人を待ち構えていた。

嵐のようなパレードの本体が通り過ぎて、夕食をするという本来の目的を思い出した二人は、「そろそろレストランを探さなくちゃね」と言って、何気なく周囲を見回した。

すると凛子の目線は、ついさっきまでパレードで撒かれたぬいぐるみやお菓子などのグッズを幾度となく持ってきてくれた、例のスーツの紳士を捉えた。

紳士は何やらフランス語で凛子に向かって呼び掛けている。良く聞き取れなかったが、パレードと観客を隔てるロープを持ち上げて、丁寧な身振りで「こちらに来てください」と誘っているのが分かった。

不審に思いながらも凛子は、隣の母に知らせるともなく身振りで伝えた。

母も気付く。

「知らない土地で、知らない人に付いていくなんてイヤよ」。断ろうとする凛子を差し置いて、母は躊躇なく「心配ないよ」と言うが早いか、紳士が持ち上げているロープをさっさとくぐった。

母を一人にするわけにもいかず、凛子も後を追い駆ける。一体どこへ連れて行かれるのか皆目分からない。ただ大勢の観客の視線を感じながら、「一般の人、立ち入り禁止」の〝花道〟を紳士に導かれた。

不安感より特別扱いされている心地良さが勝り、気分も高まる中で行き着いた先は、海岸側に設置された階段状の「ひな壇」だった。しかも、そこに居並ぶ紳士たちの多くが一斉に立ち上がり、笑顔で二人を歓迎した。

さすがはヨーロッパ風だわ、と感心しながらも破格の厚遇振りに戸惑ったが、促されるままに一番偉そうな人と握手し、あいさつを交わした。この人はニースの市長、案内してくれた紳士は市の幹部のようだった。

あれよ、あれよと「ひな壇」の一員に迎えられた凛子と母の吟は、狐につままれたような事の展開に「えっ、何で？　どうして私たちが……」と困惑していた。

次の瞬間、ふつふつと湧き上がる二人の疑問なんか木っ端微塵に吹き飛ばすように、盛大なエンターテインメントが始まった。

大音響に合わせて色とりどりのサーチライトが夜空を駆け巡り、華やかな映像が会場を盛り上げる。そして、海上で打ち上げられるみごとな花火は、観衆の興奮を最高潮へと導いた。

もちろん、その中には特等席に陣取った凛子と吟もいる。さらに感激したのは、花火が日本の花火師によるものだと聞かされたからで、大歓声の渦の中で花開く花火技術の高さに鼻高々だった。

イベントが終わると、例の紳士から「飲みに行きましょう」と誘われたが、行きたそうな母に先回りして、今度は凛子が丁重に辞退した。

二人は、ようやくあり付いた夕食を軽く済ませてホテルに戻った。

しかしなぜ招かれて、あれほどの特別待遇を受けたのかは謎のままだったが、無条件で楽しかった。

カーニバルの余韻を引き摺りながら凛子は、着替えるためにワンピースを脱いだ。そのときだ、体にまとわり付いていた紙吹雪が狭い部屋に舞い散った。鏡を見ると、カラースプレーの泡テープも髪に絡み付いている。

二人は思いもよらないカーニバルの名残に、また大笑いした。

ふと、凛子はある感慨にひたった。

「母と二人で、これほど笑い合ったのは、何年ぶりだろうかしら……」

新婚旅行に勝手に付いて来て、思い付きのニース観光と我がまま放題の母に振り回され通しだった。が、今は「それで良かった」と満足している。

カーニバルのことなどまったく知らずに来たニースで、到着したその日にカーニバルと遭遇。そこで主催者側の「お偉いさん」の目に留まり、降って湧いたようなＶＩＰ待遇を受けた。

信じてもらえそうもない超ラッキー体験。夫の高宮に「いい土産話ができた」と凛子は喜んだ。

この話を聞いた高宮は、果たしてどんな顔をするのだろうか？　夫のリアクションを想像する凛子は自然と笑みが浮かんだ。

ニース観光をしたいと言う母の話にいい顔をせず、出発に際しても無関心を装い通し、図らずも垣間見せた冷酷な夫、高宮のいずれもが凛子の頭からすっかり消えていた。

スペインから戻って三日後。日本に帰る母の吟は、シャルル・ドゴール空港まで見送った凛子の耳元で、こう囁いた。

「何となく高宮さんには不安を感じるの。もしも、結婚生活が駄目だと思ったら、すぐに長野に帰って来なさい」

高宮がベッドの枕元まで運んでくれるコーヒーの香りで、凛子は目を覚ます。バケットとクロワッサン、ヨーグルトにチーズといったとても簡素な朝食だが、その日の朝にパン屋で買う焼き立てのパンたるや、外はパリッと中がホワホワ、噛めば噛むほど口いっぱいに膨らむおいしさは格別だ。今まで味わったことがないほどの豊かさを、毎朝、噛み締める。

家族三人のパリ生活が始まった。

娘の華のフランス語は、まったく分からない凛子でも心地良い発音だと思う。高宮はあまりしゃべれそうもないが、相手の言うことはほぼ理解できるので、日常生活に不都合はなかった。

凛子の日常は優雅に時を刻んでいた。

唯一ともいえる家事のアイロンがけで一日は始まるのだけれど、その後の午前中は書斎で読書をして過ごす。

ランチは、シャンゼリゼ通り裏にある日本料理店に出掛ける。和食を楽しんだ後は、日本の新聞に目を通すために「ホテル日航」へと向かう。

帰宅する途中、知る人ぞ知る「広田」で和菓子を買ってから、自宅近くのスーパーに寄り夕食の食材を調達する。

夕食は夫が作る手料理。食べる係の凛子と華は片付け係も兼務する。婚約中の凛子は、この光景を何度も夢見た。「アットホーム」を絵に描いたような幸せ色に彩られて……。

「何だか、お人形になったみたいで面映ゆい」思いの入浴時。高宮が「三助役」となって凛子の体を隅々まで洗い、髪をシャンプーし、ドライヤーで乾かしてくれた。


車好きの凛子は早速、高宮が所有する二台のうち買い物用のミニキャブを運転する。ルールやマナーなど、日本とは違う交通事情に戸惑いながらもパリ市内に乗り出す。

当然、車は左ハンドルの右側通行だが、運転して最初に体験したのが徹底した「右優先」。走っていても右側から侵入する車があったら、こちらがスピードを緩めるか止まるかして譲る。だからなのか、驚いたことに右側からの車は物凄い勢いで侵入して来るのだ。

自宅マンションから車で約三分の所に「凱旋門」がある。そこは凱旋門を中心に八方向からの道路を放射線状に接続するラウンドアバウト方式の交差点。

六車線分はありそうな広い車道なのだが、優先される右からの侵入車に道を譲ってばかりいたら、どんどん中心部に追いやられてラウンドアバウトから抜け出ることは、まずできない。永遠と回り続けることになってしまう仕組みだ。

この右優先ルールに慣れるまでは相当苦労するのだが、凛子はその洗礼を最も難しいこの凱旋門で受ける。

だが、持ち前のドライブセンスを生かし、右からの車を避けながら臆することなく他の車の前に出ることを繰り返し、何と初挑戦で思い描いたとおりシャンゼリゼ通りへと一発で抜けられたのだ。

難関の凱旋門を失敗することなくスムーズに乗り切ったことが自信となって、凛子は右優先ルールの下でパリでのドライブを楽しんでいる。

しかし、運転で辟易していることもある。慢性的な渋滞の元凶となっている路上駐車だ。道路の両側にビッシリと並んでいる。しかも好き勝手にあっちこっちに向き合って無秩序な縦列駐車。スペースの空きを待つ車が車道をさらに狭くしている。

狭い隙間をギリギリまで詰めて芸術的な止め方をする。例えば、自分の車の前後にピタリと車を付けられた駐車状態から抜け出すためには、前後の車のバンパーに自分の車のバンパーをそっと当てて、前に後ろへと押すように繰り返して隙間を空ける。こうしてできたスペースによってその場から〝脱出〟するのである。

こんな事情からなのか真偽のほどは分からないが、バンパーの高さはどの車も大体同じになっていると聞いた。ちなみに、車に多少のキズがあったとしても、そのほとんどは修理もせずに、そのまま平気で乗っている。

日本との違いはまだまだある。

面白いところでは、雨が降るとスポンジを持って外に飛び出す人たちが結構いるということ。何するのかと見ていると、道路に止めている自分の車を洗い始める。雨の中でびしょ濡れになって手洗いする光景は滑稽だ。

およそパリのイメージとはかけ離れているけれど、凛子は生活感が溢れていて嫌いじゃなかった。

パリの街を縦横にドライブして楽しむ凛子だが、夫婦で出掛けるときは車を乗り換える。夫の高宮が運転するのは決まってロールスロイスだからだ。有名な美術館や観光地などをよく案内してくれる。

この日も「好きなものを買ってあげる」と高宮は言って、「ルイ・ヴィトン」の本店にロールスロイスを乗り付けた。

入り口には日本人などの観光客が、雨が降っていたにもかかわらず六〇人ほどが並んでいた。混雑を避けて店側が入店を制限したためだが、玄関にいたポーターが目ざとくロールスロイスに気付いて駆け寄って来た。

「マダム」。ポーターはすかさず凛子に雨傘を差し出し、行列をなす観光客たちを横目に店内へと導いた。気恥ずかしいような申し訳ないような気持ちの半面で、心地よい優越感に浸りながら特別扱いの理由を高宮に尋ねた。

「フランスは身分制度的なものがハッキリしているからね」と高宮は、当然と言わんばかりにさらっと言う。「客の身なりなどを見て店員の応対があからさまに違うのは、当たり前のことだよ」。

こうした文化を意識したように振る舞う高宮を、凛子はいろんな場面でしばしば目にした。ふだんは指輪をしない高宮だが、一流のホテルやレストランではいつの間にか太い薬指に一〇カラットを超える大きなダイヤの指輪が輝いている。

怪訝に思った凛子が問い質したことがあった。

ズボンの内側に作ったポケットに指輪を入れておいて、店内に入ったら取り出してはめるのだという。手品のネタばらしをするように高宮は〝解説〟した。

ここはパリ。外であまり大きな宝石の指輪なんかしていると、強盗に指を切り落とされて盗られてしまうからだろうか、なんて凛子は勝手に想像し納得していた。だがそれは違った。

料理をオーダーするときや飲み物を手にするときなど、高宮の手の向きがしばしば不自然な格好になることに凛子は気付いた。一流と言われる所に行ったときだけ、薬指の高価な指輪を見せびらかしていたのだ。

凛子は、高宮の醜い虚栄心を見せつけられた気がして嫌悪した。

凛子が身に着けている宝石や毛皮を「すごく素敵ね」とか「素晴らしい」とか、誰かが褒めたとする。と、すかさず高宮が横から口を挟み、あたかも自分が買い与えたかのように得々と話し始めるのだ。

「そうじゃないでしょう」と凛子は叫びたい気持ちを抑えて平静さを装うのだが、その都度胸の内に言いようのない「気持ち悪さ」が充満した。

高宮の言動に凛子は、どこか釈然としない「何か」を感じ始めていた。

ルイ・ヴィトンでは、約束どおりに好きなものを買ってくれたし、レストランではフォアグラのステーキがおいしくて三回もお代わりした。シャンゼリゼ通りの高級クラブやモンマルトルのショー劇場にも連れ立った。

旅行はフランス国内に留まらずスイス、オーストリア、ドイツにも足を延ばした。

「これって、現実なのかしら」と思うほど幸せで、毎日が夢のような時間の連続だった。

それに凛子の歓心を買うためなら、高宮はお金に糸目を付けなかった。

そうかと思えば、まるで〝守銭奴〟のような真逆の金銭感覚も持ち合わせていた。

「たくさん、食べなさいね」

旅行先で宿泊したホテルの朝食時、高宮はよくこんな風に言った。

素直に受け取れば日常会話の類いだが、その意図するところを聞けば誰もが呆気にとられるだろう。

「いっぱい食べておけば、お昼を食べなくても済むからね」

「…………」

凛子にとって言葉を失うほど信じられないことが、お気に入りのカフェでも〝勃発〟する。

「トイレに行くから、チップの『一フラン』ちょうだい」

「あのね、チップ皿に小銭が載っているから、それを指先で叩くと『チャリン』と音がして、チップを置いたように見えるから、そうしなさい」

憤りを通り越して唖然とするしかなかった凛子だが、さすがに抵抗した。

「そんなあざとい真似なんか、できるわけがないでしょ！」

こうして「億万長者」であるはずの夫と、たった「一フラン」のことで言い争う羽目になるのだ。

「ママ、ママ」と慕う娘の華が、自分の父親をこんな風に評したことがあった。

「パパはね、自分の言うことを聞かなければ、絶対に何もしてくれない人なのよ」

そういうことなのか、と凛子はそれなりに頷けるのだが、続く華の話には、辛かった自身のかつての境遇が重なった。

「私が学校で必要なものでも、お金を出してもらえないことなんてしょっちゅうよ」

中学時代、学費や給食費を納める封筒を差し出すたびに、凛子は母の吟から訳もなく算盤で頭を叩かれた、そんな〝恐怖の思い出〟が……。

「そういえば……」と凛子は考える。

パリでの新生活に少しは慣れてきた。普段の生活を振り返る余裕もできた。だから、そこで奇妙なことに気が付く。

朝から晩までほぼ毎日、一緒に過ごしているはずの夫と娘のことをほとんど知らない妻が、母が、ここにいる――。

ヨーロッパの輸入家具の販売というが、具体的に高宮がどのような仕事をしていて、収入はどれほどあって、財産は？　華はちゃんと学校に在籍しているの？

凛子は、妻として母としての役割を何もしていない。いや、何もさせてもらっていないのだ。家の掃除は、週に一回通って来るコンシェルジュがドアのノブから水回りまでピカピカに、それは目を見張るほどきれいにしてくれる。

ある日、思い立って「私は『奥さん』なのだから、家計のことぐらいはやりたいわ」と凛子は切り出した。「一か月にどれほどの生活費がかかっているか知りませんが、その八割くらいのお金を私に渡してくださいませんか？　それで光熱費や食費などすべてを賄いますから」。

高宮は「ぐう」の音も出ない凛子の弱点を突いて、その願いを一蹴した。

「買い物に行くときはいつも一緒だし、まだフランス語もできないあなたに、いろいろな支払いは無理でしょう」

またあるときは、タバコを吸う凛子が「生活費がもらえないのなら、タバコを買うお金ぐらい欲しいので、毎月決まったお小遣いを下さい」と開き直ってみたが、これもバッサリ返り討ちに遭ってしまう。

パリに移住する前の高宮は、東京で自動車部品会社を経営していたとかで、儲けたお金をフランスの銀行に預け、その利子で生活をしているらしかった。

そうだとしたら、結婚する前に聞いた「ヨーロッパ家具を日本に輸出する仕事」だと言っていたのは、何？　ということにもなる。

どちらにしても会社に行くでもなく、会社自体どこにあるのかも分からなかった。事実、高宮が仕事をしている姿を見たことはないし、毎日を何して過ごそうか、みたいに暇を持て余している。

見方によっては「優雅な生活」と他人の目には映るだろうが、夫として高宮の〝実態〟は謎めいて得体が知れない。凛子が妻として不信感を募らせる一因ともなっていた。

「パリに着いたら友人たちを招き、盛大な歓迎パーティーをするよ」と言われたことを、凛子は決して忘れてはいない。がしかし、未だその気配は一向にない。

パリで最初に紹介された近所に住む日本人の友だちに尋ねても、キョトンとして「そんな話は全然聞いていないよ」と、にべもなかった。

日本にいるときから「通いなさいね」と約束してくれて、パーティーと同じくらい楽しみにしていたフランス語学校や料理教室にも行かせてもらえず、問い質してもはぐらかされるのが常だった。

それではと、凛子がフランス語を少しでも覚えようとテレビをつけていると、「テレビを見るくらいなら、本でも読みなさい」と消されてしまう。

さらに滑稽なのは、家の中の電気をつける凛子の後をついて回り、電気を消して歩くのだ。

季節は移ろい肌寒さを感じ始める。パリの一日はすっかり短くなった。

朝は九時になっても薄暗く、窓の外は重い鉛色の景色に塞がれているようだ。夕方四時ともなれば夜のとばりが下り、凛子は心寂しさを増していく。

センチメンタルなパリの季節感とはまったく関係のない次元で、凛子は信じ難い出来事に次から次へと見舞われていた。

「これって、お金持ちのすることなの⁉」。腹立たしさを〝超越〟する高宮のさまざまな言動が繰り返されたのだ。

—「羊羹」

高宮は冷蔵庫から〝自分の羊羹〟なるものを取り出す。包み紙を開きながら「あれっ」と言って、凛子を疑い始める。

「あなた、羊羹食べたの？」

「？　……」

「いつもの僕の仕舞い方とは違うなあ」

和食系の甘味類はほとんど口にせず、羊羹になぞ当然触ってもいなかった凛子は思った。

(何と卑しいことを言う人なのだろう)

—「ミネラルウオーター」

当時、パリの水道水は硬水だった。このため飲料水はもっぱらスーパーで買うミネラルウオーターを、冷蔵庫で保管していた。

そして飲むたびに口癖のように言う。

「あれっ、減っているなぁ」

その都度、凛子の顔を覗き込むように見るのだ。

(何て細かい嫌らしいことを言う人なのかしら)

―「魚」

二人は連れ立って、近くのスーパーへ夕食の買い出しに行った。

おいしそうな魚が並んでいる。凛子は〝料理担当〟の高宮にねだった。

「和食のように焼き魚にしてね」

ところが、レジで精算する段になりカートを見ると、凛子が確かにカートの籠に入れたはずの肝心の魚がなかった。

多分、買い物の途中で籠から出して戻してしまったのだろう。そう思うと悲しくて、寂しくて、切なくて……。

(本当に、何という情けないことをする人だろう)

凛子の中で、高宮への嫌悪感が〝増殖〟していた。

そして、後になって「そういえば……」と思い返す疑問符が、高宮の周辺にはあまりに多過ぎた。

ある日、若い日本人の男性が突然訪ねて来た。

驚くことにこの男性は、高宮の長男で華の兄だという。ドイツ人女性と結婚してオーストリアに住んでいた。聞くところによると、次男もいて別れた前妻と一緒に住んでいるとのことだった。

華以外に息子が二人もいるなんて露ほども知らなかった凛子は、自分の迂闊さもさることながら、「なぜ、言ってくれなかったのだろう」という訝しさが先に立った。「親兄弟は、東京に住んでいる」。確か高宮は結婚前に言っていた。しかし、見たところ行き来している様子はなかった。

フランス移住が決まり、バタバタと忙しさに紛れて後回しにしたまま残されている、ある「重大事」を凛子は長男の出現とともに思い出した。

結婚にあたり後にも先にも、高宮の肉親には誰ひとりとして会わせてもらっていなかったのだ。

長男は三日滞在し、凛子に不信感と不安感を置き土産にオーストリアへと帰った。

パリでの結婚生活が三か月ほど過ぎた辺りから、高宮の凛子に対する〝奇行〟が目立ち始めた。

あからさまに「一日中ベッドにいるよう」凜子に強要するようになり、トイレや読書にも付きまとい、傍にいるのだ。

兆候は少し前からあった。あれほど丁寧に、大切に扱っていた凜子の体をいたぶるように執拗に求めた挙句、とんでもないことを口にする。

「僕が見つけてくるから、フランス人の男性とセックスしてみないか？　僕は衝立の後ろから見ているから」

もちろん実行などしなかったが、その後も「あなた『秋冬用の衣類が欲しい』って言わなかったかなぁ～」と、人を物で釣るさもしい誘いでベッドインを強要した。

高宮を十九歳年上の立派な紳士だと信頼していただけに、「私は騙された」との思いが、日が経つにつれて強まっていた。

それでも台所仕事やアイロンがけなどにかこつけて、高宮の要求に抵抗を続けていた、そんな朝のことだった。

「見せておきたいものがあるから、ついて来なさい」。高宮はこう言って、なぜか懐中電灯を持って外に出た。

建物の外階段をクルクル回って最上階に上った。そこは薄暗く、小汚い小部屋が幾つか並んでいた。

高宮は振り返り怪しむ凛子の顔を窺いながら、ひとつの部屋のドアにカギを差し込んだ。

「ここはメイド部屋として所有しているのだよ」と説明を加えて軋むドアを開けた。

「私たちの財産のことだから、あなたにも知っておいてもらおうと思って、見せるのだよ」

部屋は三畳ほどの屋根裏部屋で、壁や片流れの天井も薄汚れている。明り取りは約五〇センチ四方の小さな窓が一つ。外側に押し出すタイプで一五センチほどしか開かない。その窓からは、殺風景な鉛色の空と建物の屋根が見えるだけだった。

陰湿な室内には、シングルのパイプベッド一台と汚れしか気付かない小さな洗面台があるだけ。それぞれの小部屋を結ぶ廊下の突き当たりには共同トイレがあるらしかった。

こんな部屋をサスペンス映画で見たような気がすると思い、凛子の背筋に冷たいものが走った。

数日後、相変わらずベッドインを拒み続ける凛子に、高宮は自宅の廊下ですれ違いざまに横目でニヤッと、おどけたように言った。

「そんなに嫌がっていると、屋根裏部屋に閉じ込めちゃうよ」

凛子にとってそれは体が凍り付くほどの恐ろしい言葉だった。その上、瞬間的に見せる白目は、脳裏に焼き付いて離れなかった。

恐怖の日々が続くようになった。

ふと、母の吟が帰国する間際の空港で囁いた言葉が蘇った。

「何となく高宮さんに不安を感じるの……」

それが現実味を帯びて凜子に迫って来ていた。

「本当に閉じ込められたら、どうやって逃げ出せばいいのかしら」

防衛本能が目覚めシミュレーションを繰り返すようになった。

―窓の開閉は狭くて体が通らない。もし、抜けられたとしても窓の外は何十メートルもある垂直の壁だ。

―食事だって毎日運んでくれるとは限らない。

―大体、ここに閉じ込められていること自体、知る人はいない。

―そうだ、助けを書いたメモ用紙を窓から投げればいい……。あぁ、でもフランス語は書けないのよ。

あのときは「新婚生活のスタートを邪魔された」との思いから、母の話をまともに聞く耳を持たなかった。けれど今となれば、あれは娘を思う母親の直感だったのだ。

凜子はついに決心した―。

「この人から逃げなければならない」

凛子は全ての思考を逃げ出す手段に集中させていた。果たして、そのチャンスがしばらくして巡ってきた。

高宮が「明日の朝早くブローニュのコートにテニスをしに行こう」と誘ってきたのだ。

「逃げるのは明日だ」。凛子は決行を決意した。

翌朝――。

「どうもお腹を壊したらしいの。きょうは無理そうだから華ちゃんと二人で行って来てよ。私は休ませてもらうわ」

凛子の口実を疑うこともなくすんなり聞いた高宮は、娘の華と二人で出掛けた。

その様子を広間の窓から確認した凛子の「逃走劇」が慌ただしく始まる。

長野から持って来た品物をスーツケースに放り込む手が震え、心臓は早鐘を打つ。緊張は極限まで高まる。

そんな中で、自分の左薬指にはまった結婚指輪に目を留めた。凛子がねだった「直径一〇ミリを超える真珠」の指輪。

ここを出て行く限り、お返しするのが筋だ――。外した真珠の指輪をベッドサイドのテーブルの上に置いた。

三階ワンフロアの自宅玄関前の広いステップを下りると、木製で古い折り畳み式扉のエレベーターがある。その扉を開けてスーツケース一個を挟んで閉まらないようにしてから、一個また一個と運んだ。

最初に来たときに、映画の一場面を見ているような古いエレベーターに感激したものだが、高宮が戻る前に、見つかる前に、と焦るこの瞬間、まどろっこしさしか感じなかった。

やっとの思いで道路に出た。詰めていた息が自然に「ふーっ」と大きく吐き出た。と、その途端、稲妻に打たれたように「ハッ！」とした。

「こんなこと、どうして気付かなかったの！」

あまりの迂闊さに自分自身をなじった。持ち出したスーツケースは三個、しかもギュウギュウ詰めでとても重い。当然、両手を使っても一度には運べないし、どうしよう、何とかしなければと、気持ちがはやるばかりで妙案は浮かばない。通行人や二人乗りのバイクにも声を掛けたが、ただ素知らぬ顔で素通りするばかり。思い余って必死で叫んだ。

「ヘルプ　ミー」

辺り構わず叫び続けるうちに、通りすがりに立ち止まった一人のお爺さんと目が合った。背が高くハットを被っているが痩せていてステッキをついている。

見るからに頼りないが、凜子はすがる思いで路上の三個のスーツケースを指差しながら、英語で「タクシー・ステーション」と繰り返した。

お爺さんは、よろめく足でスーツケース一個を三、四〇（メートル）先のタクシー乗り場まで、四苦八苦しながら歩いて運んでくれた。

改めて心からお礼を言い、高宮に見つかることなく無事タクシーに乗り込んだ凜子は、六か国語辞典を駆使して空港まで行きたいことを伝えた。

だがタクシーが空港に近づくにつれて、新たな不安が湧いてきた。

「家に戻り、逃げ出したことに気付いた高宮が最初に捜すとすれば、それは空港に違いない」。行き先を空港近くのホテルに急きょ変更した。

ホテルのロビーで気持ちを静め、これからのことを思案する凜子の頭に「岡部」という男性の名前が浮かんだ。

彼は、パリに来て最初に紹介された高宮の友人の一人で、ルイ・ヴィトンの商品を日本に運ぶ仕事をしていると聞いた。知り合って間もないので、高宮に通報される心配もあったが、藁にもすがる思いで電話した。

岡部はすぐに駆け付けてくれた。凜子は夫の下から逃げ出したことを簡単に伝え、覚悟を決めて「日本に帰れるよう、手を貸して欲しい」と懇願した。

岡部は、男気を見せて手助けすることを約束した。

「空港は見つかる可能性が高いので、しばらくは身を隠しましょう」

自分の運転する車に凛子を乗せてパリを離れた。一時間以上は走っただろうか。着いた先はサンジェルマン・アンレーというパリの隣町で、小さなホテルにチェックインした。

「しばらくはここに滞在していてください。高宮さんの様子を報告しに、また来ます」

と岡部は言い残して、休む間もなく帰って行った。

一人取り残された気分に沈む凛子は、高宮から逃れた解放感より「この先、どうしよう」という心細さが勝り、途方に暮れた。「また来る」と約束してくれた頼みの綱の岡部だが、具体的にいつ来るとは言っていなかった。

この先どうなるか分からない不安を紛らわすように、凛子は見知らぬ小さなこの町を散策して時を過ごした。

宿泊しているホテルは粗末だが町の中心部に位置していて、玄関を出るとちょっとした広場になっている。その広場で週に二度開かれるアンティーク市のような催しが楽しみになった。

岡部は、言葉どおり二、三日に一度の割合で凛子を訪ね、高宮の様子などを教えてくれた。それによると、高宮は案の定、空港やレストラン、カフェなど凛子が顔を出しそうな場所を、日課のように捜し回っているということだった。

ホテル住まいも一か月が経とうとしていた。

滞在費をはじめ日本に帰る旅費など、これからのことを考えると懐具合が気になりだした。

凛子は意を決し、長野の実家に助けを求めることにした。

辞書を片手に探し当てた郵便局で、苦労しながらも時差を考え、店が忙しくなる前を狙って国際電話をかけた。

電話口には、せわしくもあの懐かしい声―母の吟が出た。胸が詰まる思いで受話器を握り締めた。

「あれからいろいろと高宮の様子がおかしくて……。もしかしたら屋根裏部屋に閉じ込められると思い、もう夢中であの家から逃げ出したの」

どっと溢れる涙に促されるように打ち明けた。

「今から日本に帰りたいのだけれど旅費がないの。日本に帰れば貯金があるのですぐ返済できるから、取りあえず一〇〇万円ほど貸してください」

凛子は、この郵便局宛てに郵便為替で送ってもらうことも忘れずに伝えた。ところが、ここまで黙って聞いていた母の口から思いもよらない言葉が、冷たく返ってきた。

「そんな余裕ないから、お金は送れないよ」

「とにかく私は、一度は日本に帰らないと……」。凛子は狼狽しながら懸命に訴えた。「お金もないし、誰も知らない、言葉も分からないフランスでどうしようもないの。だから、何とかお金を貸してください」。

泣きすがる凛子の頼みを無視するかのように母は、まるでトンチンカンなことを言い出した。

「お前の実印を送って寄こしなさいよ！」

あまりのことに意味がつかめない凛子は、オウム返しに聞き返した。

「エッ、私の実印……を、どうするの？」

「お前の三階の住まいを弟の雄一にあげるからさ！」

「だって、あの三階はお母ちゃんにお金を払って私名義にしたものじゃないの」

突然、母に代わって、今は「割烹陣屋」の跡取りとして店を手伝っている弟が電話口に出た。凛子は改めて事情を説明し、お金を借りたい旨を伝えた。が、弟雄一は……

「凛子姉ちゃん、世の中ってそんなに甘いものじゃないよ。お母ちゃんが駄目だと言っているんだから、お金を貸すことはできないね」

凛子は、臍を噛む思いを味わっていた。

弟を人一倍かわいがってきたのは姉の凛子だ。高校卒業後に引きこもりになったときは、グアム島の知人のもとに預け環境を変えさせた。東京時代は、高級店で食事をご馳走したり小遣いをあげたりした。

数え上げればキリがないほど世話になった姉に対する、けんもほろろの弟の態度。遠い異国でこんなにも心細い思いをしている姉が「借りたお金はすぐ返す」と必死に頼み込んでいる。他の誰でもない、肉親に手を合わせているのだ……。

こうした仕打ちにも、凛子に弟を恨む気持ちはなかった。

「あの母親の下にいては、こう言わざるを得ないのだろう」と、逆に雄一の心情を思いやった。

結局、一銭も借りることはできなかった。

泣いた──。肉親の情の薄さを思い知って、泣いた。

泣きはらした凛子が思案の末に頼ったのは、小さいころからずっと変わらず味方でいてくれる稲荷山の山岡たつ江伯母、母の姉だった。

「そりゃ大変だ。分かった、大至急お金を送ってあげるからね」

電話の向こうの伯母は、二つ返事で承知してくれた。

二〇〇万円が送られてきた。お願いした額の倍のお金だ。心の底からありがたいと思った。人の情けが身に沁みる。早速、お礼の電話を入れた。

受話器から流れてきたそれは、打ちひしがれた凛子を温かく包み込んだ。

「外国では何があるか分からないから、お金は余分にあった方がいいだろうと思ってね。とにかく、日本まで気を付けて帰って来なさいね」

果てしなく遠かった日本を、故郷を、グンと引き寄せた。

（小説 赤い花　上巻完）

小説　赤い花　上巻

二〇二一年六月十日　第一刷発行

著　者　高橋千恵

発行者　酒井春人

発行所　有限会社龍鳳書房
〒381-2243
長野市稲里1-5-1北沢ビル1F
電話　〇二六（二八五）九七〇一

印刷
製本　三和印刷株式会社

ISBN978-4-947697-68-4
C0093